GAUGUIN

GAUGUIN

Texte original de Anna Maria Damigella

Adaptation française de Marie-Christine Gamberini

GRÜND

Adaptation française de **Marie-Christine Gamberini**

Texte original de **Anna Maria Damigella**

Secrétariat d'édition de **Sylvie Patry**

Première édition française 1997 par Librairie Gründ, Paris
© 1997 Librairie Gründ pour l'édition française
ISBN : 2-7000-2069-3
Dépôt légal : septembre 1997
Édition originale 1997 par Arnoldo Mondadori, Spa, Milano
sous le titre original *Gauguin*
© 1997 Arnoldo Mondadori, Spa, Milano

Photocomposition : GPI, Juigné-sur-Sarthe
(textte composé en Stempel Garamond et Triumvirate)
Imprimé en Espagne par Artes Gráficas, Toledo
D.L. TO: 655-1997

SOMMAIRE

PRÉFACE

Gauguin otage de son mythe

Dans cet ouvrage, le huitième d'une collection maintenant bien connue, l'auteur, Anna Maria Damigella, retrace avec une minutieuse exactitude, en huit chapitres judicieux, la vie de l'un des artistes les plus singuliers de l'après-impressionnisme. Et comme la vie d'un artiste ne saurait rien être sans l'œuvre, la carrière de Paul Gauguin est analysée chronologiquement, suivant des périodes justement très délimitées dans son cas, depuis celles de Paris, puis de Bretagne jusqu'aux ultimes des Îles Marquises, et généreusement illustrée de reproductions, dont chacune est complétée d'un commentaire ponctuel. Suivre le parcours, matériellement, physiquement, spirituellement, particulièrement complexe d'un Gauguin, fait lever de multiples interrogations. C'est précisément de revenir sur quelques-unes de ces interrogations que la présente préface s'est donné pour but.

QUÊTE OU FUITE

Bien que né au 56 de la rue Notre-Dame-de-Lorette, il faut bien reconnaître que certaines conditions familiales pouvaient prédisposer Paul Gauguin à l'exotisme. Son père, journaliste progressiste, avait épousé la fille d'une militante socialiste, elle-même fille naturelle d'un colonel de dragons péruvien établi en France. En 1849, âgé d'à peine deux ans, d'être embarqué pour le Pérou dans un voyage que le père ne termina pas, mort pendant la traversée, et d'y avoir passé ses premières années chez l'oncle de sa mère, Don Pio de Tristan Moscoso, pouvait-il ne pas marquer le jeune Paul Gauguin ? Après la petite enfance de rêve à Lima, revenu en France, recueilli à Orléans dans la famille de son père, où il fut élève indocile et révolté du Petit Séminaire, puis transféré pensionnaire à Paris, on ne peut s'étonner qu'il s'engageât, âgé de dix-sept ans, comme pilotin vers Rio de Janeiro. Il navigua de 1865 à 1871 de façon ininterrompue, finalement requis comme marin militaire pendant la guerre franco-prussienne. Sa mère étant morte en 1867, au retour de la guerre, Paul Gauguin étant âgé de vingt-trois ans, fut placé par le tuteur désigné par sa mère, Gustave Arosa, photographe et également amateur d'art moderne, comme commis d'agent de change, rue Laffitte, où il réussissait fort bien. En 1873,

il fit un mariage très bourgeois, épousant Mette Gad, une jeune Danoise de bonne famille, mariage d'où naquirent, de 1874 à 1883, cinq enfants. Quand, par son tuteur qui connaissait le photographe Nadar, chez qui les impressionnistes exposèrent pour la première fois en 1874, il fut entré en contact avec ceux-ci, alors en tant que collectionneur, achetant avec ses gains en Bourse des œuvres de Jongkind, Cézanne, Guillaumin, Pissarro, d'autant que les galeries d'art de l'époque étaient aussi rue Laffitte, Pissarro le jugeait « un redoutable marchand ».

En 1874, il avait commencé à peindre en amateur autodidacte, et à sculpter sous les conseils de l'obscur Jules Ernest Bouillot. À partir de 1879, Pissarro l'initia à la technique des impressionnistes, plein air, couleurs pures, division de la touche ; il l'introduisit auprès des membres du groupe, le faisant inviter à participer à leur quatrième exposition. En 1883, il prit la décision de quitter son emploi et de consacrer tout son temps à la peinture, persuadé qu'il pourrait en vivre. Sa femme n'accepta pas ces nouvelles conditions de vie inconfortables et retourna dans sa famille à Copenhague. Fin 1884, Gauguin, ayant accepté un modeste poste de représentant en bâches imperméables, la rejoignit. Sa décision et la précarité qui en résultait étant très mal perçues par sa belle-famille, l'hiver suivant consacra la fatalité d'une séparation. Rentré en France, il n'en retrouva guère que les difficultés matérielles et décida de « fuir Paris qui est un désert pour l'homme pauvre ».

La Bretagne attira Gauguin, en tant qu'elle était alors encore considérée comme une contrée demeurée dans un état de pureté primitive. D'avoir goûté à ce dépaysement, raviva ses souvenirs d'enfance et de jeunesse et sa nostalgie des ailleurs. En 1887, il s'embarqua pour Panama, puis de là pour la Martinique, qu'il dut quitter précipitamment, ayant contracté la malaria. Mais, il avait été séduit par les paysages exotiques, la grâce des mouvements des femmes aux toilettes bariolées.

Il y avait longtemps que Gauguin, après son enfance péruvienne, ses années de navigation, sa familiarité avec une Bretagne primitive, son aspiration à une pure spiritualité originelle, était hanté par l'exotisme. Pourtant, il ne semble pas qu'il mît tout de suite beaucoup d'ardeur à partir. Alphonse Daudet évoque « Gauguin qui voudrait aller à Tahiti... et qui ne part jamais. Au point que ses amis les meilleurs finissent par lui dire, il faut vous en aller mon cher ami, il faut vous en aller ». Fut-ce si facile pour Gauguin de quitter son emploi lucratif pour le dénuement ? Devant la nécessité et l'urgence de peindre, l'attrait romantique des ailleurs servit-il aussi à occulter une peur des responsabilités quotidiennes ? La quête masquait-elle une fuite ?

LE SYNTHÉTISME : UN SYMBOLISME STRUCTUREL

Tôt, Gauguin prit progressivement conscience de sa propre déception devant l'objectif naturaliste, simplement hédoniste, de l'analyse des phénomènes visuels par l'impressionnisme, ce qui lui semblait un manque d'ambition. Dès certaines peintures de Pont-Aven, *La Vision après le sermon,* ou *La lutte de Jacob avec l'ange,* de 1888, ou *Le Christ jaune,* de 1889, il était déterminé à restituer à la peinture le droit au sens. Il est très clair sur ce point capital, lorsqu'il préconise de « vêtir l'idée d'une forme sensible », et s'enthousiasme à l'idée de « quelles belles pensées on peut évoquer par la forme et les couleurs ». Lorsqu'il dit créer le « synthétisme » en peinture, il est clair qu'il oppose la synthèse à l'analyse impressionniste. Selon la formule d'Octave Mirbeau, il avait évolué « vers la complication de l'idée dans la simplification de la forme ».

Si, dans la longue histoire de la peinture, Gauguin ne fut ni le premier, ni le seul, à avoir ressenti que, par le travers des savoirs symboliques innés et acquis propres à la condition humaine, les lignes, les formes, les couleurs, qui constituent la structure formelle de l'image narrative, portent sens, dans son époque il aura été celui qui en a pris une nette conscience et l'aura formulé et appliqué. Après lui, tous les grands mouvements novateurs de la peinture en retiendront le principe fondamental d'un symbolisme structurel.

LE LEURRE DE TAHITI

Toute la période tahitienne de Gauguin est organisée autour des thèmes typiques en tant qu'images, autour du développement de ses réflexions sur le désir, la mort et une aspiration spirituelle syncrétiste en tant que contenu symbolique, autour d'une radicalisation des principes du synthétisme en tant qu'affirmation picturale. L'ensemble des œuvres de cette dernière période est caractérisé par des lignes, formes et couleurs encore plus épurées (synthétisées), auxquelles incitait la morphologie des femmes tahitiennes, au corps massif et puissant, même si majestueux, aux articulations peu déliées, à la carnation plate et sans modulation, due à sa sombre matité, aux paréos éclatants à larges motifs francs. Observés ou supposés, Gauguin leur prête à toutes une attitude indifférente, un regard absent, une sensualité latente, une expression comme de secret qu'il transfère au mystère. Les ultimes peintures, dont la plus célèbre *D'où venons-nous ? Que sommes-nous ? Où allons-nous ?,* sont le plus souvent motivées par ses préoccupations philosophiques. Il a alors écarté les titres en belles sonorités maories et les rédige désormais en français, comme pour manifester son détachement de tous les charmes qu'il avait attendus de l'exotisme et la nostalgie de sa culture d'origine.

Dans les cas d'artistes dont la vie échappa à la normalité, soit par choix, soit par fatalité, dans la conscience ou l'inconscience collective, le mythe a vite fait de supplanter l'œuvre. De même que c'est plus pour son errance et pour son silence que le public connaît Rimbaud, que pour sa poésie qu'il ignore le plus souvent, plus pour l'oreille coupée, l'asile de Saint-Rémy et la balle dans la tête qu'il sait qui était Van Gogh, c'est aussi, et dans une mesure pire encore du fait du fantasme exotique, le leurre de Tahiti, concrétisé il est vrai dans les images colorées qu'il en a exploitées et restituées, qui occulte pour le public la réalité picturale de l'œuvre de Gauguin. Lorsqu'en 1902, malade, Gauguin envisageait de revenir en Europe, Daniel de Monfreid, son dernier ami fidèle, crut devoir l'en détourner par des arguments qui ne peuvent qu'apparaître cruels, le dissuadant, par son retour, sa présence physique, de trahir l'aura de sa légende : « Vous êtes actuellement cet artiste inouï, légendaire qui, du fond de l'Océanie, envoie ces œuvres déconcertantes, inimitables, œuvres définitives d'un grand homme pour ainsi dire disparu du monde. » Ainsi, même pour Monfreid, pour que l'œuvre existe, l'homme Gauguin devait à jamais disparaître, otage de son mythe.

JACQUES BUSSE

DE LA NATURE À LA PENSÉE

La préhistoire

« Ma vie a été toujours cahin-caha, bien agitée », déclarait Paul Gauguin dans *Avant et après* (1903), un livre qui ne constitue pas une autobiographie à proprement parler mais, comme l'a expliqué son auteur, des « notes éparses, sans suite comme les rêves, comme la vie toute faite de morceaux ». Si Gauguin a beaucoup écrit vers la fin de sa vie – plus que tout autre peintre de ses contemporains -, s'il rédigea de nombreux manuscrits sur des thèmes aussi variés que l'art, la morale ou la religion, il n'a cependant pas souhaité raconter l'intégralité de son histoire. Persuadé que « l'œuvre d'un homme, c'est l'explication de cet homme », il a dit l'essentiel à travers ses productions plastiques et l'on peut, au fond, considérer comme une œuvre l'ensemble de sa vie, dont ses lettres offrent un reflet vivant et immédiat. Une existence agitée, donc, dès l'origine : dès sa « préhistoire ». D'abord indépendamment de la volonté du futur artiste, puis par choix personnel, au fil de décisions de plus en plus radicales qui le conduiront à des dépaysements complets, puis à couper les ponts avec la civilisation européenne et avec la ville de Paris qui fit de lui un peintre. Alors, au soir de sa vie, depuis Hiva Oa dans les îles Marquises, il va laisser resurgir des fragments de son passé, d'où émergent quelques constantes qui marquèrent son destin : des ruptures brusques et précoces avec des lieux et des êtres chers, une pointe de violence et d'extrémisme, et aussi l'exotisme, les voyages.

Que la généalogie de Gauguin ait été hors du commun ne fait aucun doute. Il en était d'ailleurs fier, faisant volontiers allusion à ses nobles origines, à son sang inca, à ce côté sauvage malgré lui que « les civilisés » percevaient dans ses œuvres. Tout cela lui venait de sa mère, Aline Chazal, et surtout de sa grand-mère maternelle, Flora Tristan. Fille naturelle d'un colonel de dragons péruvien installé en

◆ *Flora Tristan (1803-1844), la grand-mère maternelle de Gauguin (ici d'après une gravure de Gernler). Le souvenir de cette femme hors du commun – rebelle, voyageuse, socialiste militante et écrivain – fut transmis à l'artiste par sa mère. Il lut tous ses livres et notamment* Pérégrinations d'une paria *(1838), le récit de son voyage au Pérou.*

France, cette dernière avait connu une destinée assez extraordinaire : révoltée contre le sort assigné aux femmes de son temps, fervente adepte d'un socialisme internationaliste, elle avait beaucoup voyagé et écrit avant de mourir prématurément, épuisée par ses activités militantes. Son petit-fils, qui avait lu ses livres, en retint l'image d'une « drôle de bonne femme » dont « Proudhon disait qu'elle avait du génie », gracieuse et passionnée, aux antipodes du personnage de la parfaite femme d'intérieur.

Les événements qui marquèrent l'enfance de l'artiste ne furent pas moins aventureux et tragiques. La situation politique en France, avec le retour du futur Napoléon III et son accession, en 1848, à la présidence de la République, avait incité son père, Clovis Gauguin, républicain convaincu et rédacteur au journal d'Armand Marrast, *Le National,* à s'exiler en 1849 avec sa femme et ses deux enfants : Paul, né en 1848, et Marie, plus âgée d'un an. La famille s'était ainsi embarquée pour Lima où vivait l'oncle d'Aline, Don Pio de Tristan Moscoso, Clovis espérant obtenir auprès de sa belle-famille un appui financier pour fonder là-bas son propre journal. Il allait toutefois mourir à l'improviste pendant la traversée, terrassé par une rupture d'anévrisme.

C'est ainsi que Paul va passer sa petite enfance à Lima, dans la luxueuse résidence de Don Pio : un milieu aisé, empreint d'exotisme. Des réminiscences de ces années reviennent par

◆ Paul Gauguin, La mère de l'artiste, 1890 ; huile sur toile ; 41 x 33 cm ; Staatsgalerie, Stuttgart. Dans Avant et après (1903), Gauguin attribue à sa mère, Aline Chazal, un tempérament de « très noble dame espagnole », impulsif et violent, mais aussi tendre et affectueux, et se la remémore ainsi en costume de Liménienne : « La mantille de soie couvrant le visage et ne laissant voir qu'un seul œil : cet œil si doux et si impératif, si pur et caressant. » Peint d'après la photographie ci-dessous, ce portrait incarne l'idéal féminin exotique de l'artiste.

10

GAUGUIN COLLECTIONNEUR

Pour un artiste, acheter des tableaux d'autres artistes, se constituer une collection de maîtres contemporains en fonction de ses préférences stylistiques et de ses amitiés, n'a en soi rien d'exceptionnel. L'activité de collectionneur de Gauguin a toutefois ceci de particulier qu'elle précède ses véritables débuts de peintre. Elle procède d'influences extérieures, celle d'Arosa notamment, et d'un curieux mélange de goût inné et de sens des affaires, combinaison qui, chez lui, a très bien fonctionné pour la peinture des autres, moins pour la sienne.

Sa collection comprend exclusivement des impressionnistes. Elle remplit une fonction affective, tout en lui assurant une certaine sécurité économique, car la vente avisée et sélective de certaines pièces va l'aider dans ses moments de gêne, nombreux dès lors qu'il décidera de vivre de son art. Guidé par son extraordinaire capacité d'anticipation dans de nombreux domaines, il se met donc à acheter des Pissarro, des Guillaumin, des Monet et surtout cinq ou six Cézanne, peintre qu'il admirait tout particulièrement, poursuivant ses acquisitions alors même que sa situation financière aurait recommandé plus de prudence. Parmi ses préférés, *Compotier, verre et pommes* (vers 1880) de Cézanne,

◆ *Paul Cézanne, Montagnes en Provence, 1879; huile sur papier collé sur toile; 53,5 x 72,4 cm; National Museum and Gallery of Wales, Cardiff.* « Je fais réentoiler en ce moment [...] une vue du Midi inachevée mais cependant très poussée. Bleu, vert et orangé. Je crois que c'est tout simplement une merveille », écrit en 1883 Gauguin à Pissarro après avoir acquis ce Cézanne.

un tableau auquel il assurait tenir plus qu'à la prunelle de ses yeux : il l'a conservé tant qu'il l'a pu, et l'a reproduit dans le fond d'un portrait de femme de 1891, avant son premier départ pour Tahiti, en une sorte d'adieu au style de peinture qui l'avait formé. Le rôle qu'ont joué dans son art les tableaux de sa collection fut particulier. Dans la mesure du possible, il les a emportés avec lui lors de ses déplacements, à commencer par son séjour à Copenhague de 1885. Il les a soigneusement étudiés et les a intégrés à son monde pictural, en transposant plus d'une fois librement les motifs et certains détails dans ses propres tableaux ou sur des éventails : une façon comme une autre de proclamer un lien personnel et stylistique avec cet univers impressionniste auquel il avait profondément le sentiment d'appartenir.

la maison de son grand-père et de son oncle paternels à Orléans, où la discipline scolaire lui pèse d'autant plus qu'il maîtrise mal la langue.

Ses études peu brillantes lui interdisent, à dix-sept ans, l'accès à l'École navale. Il choisit alors une voie de repli, qu'il sait aussi être une fuite : l'engagement sur un bateau comme novice-pilotin. Commencent ainsi des années de voyages en mer (1865-1871), au cours desquels il longera des terres lointaines, effectuera son service militaire et se retrouvera impliqué dans des opérations navales lors du conflit franco-prussien : l'exceptionnel apprentissage d'une vie rude et aventureuse, mais aussi l'accumulation d'un important patrimoine d'expériences visuelles. Entre-temps, il subit d'autres pertes : la mort de sa mère en 1867, à quarante et un ans seulement puis, pendant le siège de Paris, la destruction de la villa où celle-ci avait résidé à Saint-Cloud. À la fin de la guerre, Gauguin rentre à Paris et se voit dans l'obligation de choisir un métier. La capitale était alors en pleine reprise économique, et la Bourse prospérait : c'est dans ce contexte que le financier Gustave Arosa, le tuteur que lui a choisi sa mère avant de mourir, le recommande chez un agent de change, où on l'embauche comme remisier. Pour des jeunes gens dégourdis, à l'esprit intuitif, il s'agissait à l'époque d'un travail lucratif, qui offrait même la

◆ *Paul Gauguin, Ève exotique, 1890; huile (ou gouache) sur carton; 43 x 25 cm; collection particulière.* La ressemblance du visage de cette Ève avec le portrait de la mère de l'artiste permet de dater l'œuvre d'avant le premier départ de Gauguin pour Tahiti. Issue d'un assemblage d'éléments disparates, elle préfigure les Ève tahitiennes.

possibilité de réaliser quelques investissements à titre personnel. Mais Arosa n'était pas un simple homme d'affaires : photographe réputé, spécialisé dans la reproduction d'œuvres d'art, il collectionnait aussi les tableaux modernes, fréquentait les expositions impressionnistes et connaissait même quelques membres du groupe.

Quoique familiarisé avec les objets d'art exotique de la collection de sa mère, Gauguin n'avait jusque-là manifesté aucune disposition artistique particulière. Il a certes revendiqué, par la suite, une vocation précoce pour la sculpture sur bois et un goût inné pour les arts décoratifs, mais rien de plus. Son éducation artistique se fait surtout au contact d'Arosa :

◆ *Gustave Arosa photographié par Nadar. Tuteur de Gauguin, Arosa ne se contenta pas de lui trouver un emploi, mais contribua de manière décisive à son intérêt pour* la peinture et à sa formation artistique. Il était en effet spécialisé dans la reproduction d'œuvres d'art, collectionneur de tableaux et ami de divers peintres.

en étudiant les pièces de sa collection, en visitant les expositions, il se rapproche peu à peu de la peinture de son temps, guidé par une intuition rare et un sens aigu de la qualité en matière d'art d'avant-garde. Avec les gains qu'il a obtenus en bourse, il se met bientôt à acheter des œuvres impressionnistes, parce qu'elles lui plaisent et parce qu'il pressent qu'elles acquerront de la valeur. En parallèle, la peinture entre aussi dans sa vie comme pratique personnelle, d'abord à titre de loisir, de distraction, aux côtés de la fille cadette de son tuteur, Marguerite, qui peint en amateur, puis comme activité plus régulière. Entre-temps, en novembre 1873, un bon mariage avec une jeune Danoise, Mette Gad, conforte son identité de bourgeois aisé.

moments dans *Avant et après*, sous forme d'images colorées et de fragments de dialogues associés au souvenir d'une très jeune mère, vive et douce, tendre et sévère, dont l'artiste fit le portrait d'après une photographie au début des années 1890, en accentuant l'exotisme de ses traits. Une figure évidemment importante

pour lui, mais dont le sort n'allait guère lui laisser le temps de profiter. Une nouvelle rupture intervient dans sa vie, avec le retour en France pour des motifs politiques et familiaux. Pour cet enfant sensible, renfermé, le contraste est violent entre l'univers libre et bigarré qu'il vient de quitter et l'atmosphère plus oppressante de

Les années impressionnistes

Quand on s'interroge sur le lent et progressif accroissement de la place que tient l'art dans la vie de Gauguin entre le moment où il commence à peindre, en dilettante, ses premiers paysages, et son entrée dans le groupe impressionniste, il apparaît que la peinture constitue pour lui un domaine essentiellement intime, privé : une activité manuelle patiente, gratifiante, qui lui permet de s'extérioriser, de s'affirmer, et peut-être d'espérer quelques gains supplémentaires car, dans les années 1870, le marché de l'art était florissant.

L'excellente qualité de ses paysages et de ses natures mortes aux tons sombres, à la pâte un peu lourde, proches du réalisme des peintres de Barbizon (comme son sous-bois accepté au Salon de 1876), prouve l'application et le sérieux avec lesquels il s'est consacré à la peinture, en autodidacte (si l'on excepte son passage à l'académie Colarossi), en étudiant les œuvres qu'il aimait, déterminé à réussir.

◆ *Gauguin en 1873, l'année de son mariage (photographie, musée du Prieuré, Saint-Germain-en-Laye). C'est alors un jeune homme plein d'avenir. La peinture* — *commence à représenter pour lui un agréable passe-temps et ses gains en Bourse vont lui permettre de cultiver sa nouvelle passion de collectionneur d'art.*

Les maîtres : Pissarro, Cézanne, Degas

Gauguin s'est toujours reconnu pour maître Camille Pissarro (1830-1903). Il l'a rencontré par l'intermédiaire d'Arosa, et a appris auprès de lui la technique impressionniste du travail sur le motif, avec la touche divisée, les teintes claires, les ombres colorées, ainsi qu'une façon bien particulière de construire ses paysages. Pendant plusieurs années, il s'est considéré comme son élève. Puis, à mesure que ses convictions sur l'art et son propre style s'affirmaient, leurs relations sont devenues plus égalitaires, et aussi plus conflictuelles.

Pissarro était un professeur-né. L'Américaine Mary Cassatt, une élève de Degas qui s'intégra au groupe impressionniste vers la même époque que Gauguin, disait qu'il aurait appris à dessiner à une pierre. Il avait été le maître de Cézanne et sera aussi celui de nombreux jeunes artistes de la génération suivante. Pionnier de la modernité et de la bataille antiacadémique, formé par les œuvres de Delacroix, de Corot et de Courbet, présent au Salon des Refusés en 1863, Pissarro allait participer à toutes les expositions impressionnistes. Libertaire en art comme en politique, il se rangeait toujours du côté du nouveau, prônait des idées socialistes et voyait en l'art un engagement absolu réclamant qu'on s'y consacrât entièrement, fût-ce au prix de sacrifices personnels et familiaux.

◆ *Chez les Arosa, Gauguin rencontre Mette Gad, ici photographiée à Copenhague. Jeune Danoise de bonne famille, Mette était* — *venue à Paris parfaire son éducation en compagnie d'une amie, Marie Heegaard. Paul et Mette se marieront le 22 novembre 1873.*

C'est Pissarro qui, en 1879, introduit Gauguin dans la « bande impressionniste » en le faisant inviter à la quatrième exposition du groupe. C'est lui qui l'oriente vers une peinture plus novatrice pendant les périodes où ils travaillent ensemble à Pontoise, où Pissarro résidait depuis quelques années, et dans le bourg voisin d'Osny. Et c'est à partir de son exemple que Gauguin commence à expérimenter le rapport entre réalité observée et composition peinte, finissant par entrevoir ces orientations plus conformes à son propre tempérament qui devaient le conduire à s'écarter de la sensation immédiate pour se fier à la mémoire, en vue d'une construction plus cohérente et plus calculée du tableau.

Si Pissarro fut bien le premier maître de Gauguin, d'autres modèles ont contribué à sa formation et continuèrent par la suite à jouer un rôle important dans sa peinture. L'un d'eux est

Cézanne. Gauguin eut notamment l'occasion de le fréquenter chez Pissarro à Pontoise, où l'Aixois a réalisé quelques-uns des plus beaux paysages de sa maturité. À ce peintre encore hésitant sur le plan technique, cet impressionniste de la dernière heure, écartelé entre les thèmes, le style de ses grands aînés et les premières lueurs de ses propres inclinations, Cézanne peut offrir un enseignement global : non pas une forme de camaraderie, comme Pissarro, mais une grande leçon de morale artistique et humaine et, bien

◆ *Gauguin par Pissarro et Pissarro par Gauguin, 1879-1883; fusain et pastel, 35,8 x 49,5 cm; musée du Louvre, département des Arts graphiques, (Orsay), Paris. Ces portraits mutuels témoignent de l'amitié* — *qui lia pendant plusieurs années Gauguin à son « cher professeur » Pissarro. Ce dernier lui enseigna sa technique impressionniste de peinture de paysage, et ils travaillèrent souvent côte à côte.*

◆ *Les enfants de Gauguin reviennent dans nombre des œuvres de sa période impressionniste. Ce dessin au fusain (Museum of Art, Cleveland)* — *représente Emil, son aîné, né le 31 août 1874. En 1879, Emil servit aussi de modèle pour un buste en marbre réalisé avec l'aide du sculpteur Bouillot.*

sûr, de peinture. Gauguin est d'emblée conquis par l'art de Cézanne, qu'il juge « essentiellement pur ». Il s'intéresse beaucoup au rapport que ce dernier parvient à instaurer avec le motif : distanciation, traduction à l'aide d'une technique légère et spontanée, suivant une méthode simplifiée au point de se réduire à une formule que Gauguin aurait bien aimé s'approprier, celle de la touche constructive recouvrant toute la toile de minuscules facettes de pigment équivalentes aux sensations de l'artiste. Ce qui fascine Gauguin chez Cézanne, c'est l'équilibre entre observation, fidélité au motif et représentation : la correspondance entre des motifs soigneusement choisis et la pensée, l'admirable passage de la multiplicité des sensations à la construction du tableau. Quand plus tard, en 1885, dans l'isolement d'un long hiver à Copenhague, il réfléchira sur d'autres voies picturales que l'impressionnisme, Cézanne incarnera pour lui un idéal

11

12

◆ *Paul Cézanne, La route tournante, vers 1881 ; huile sur toile ; 59,5 x 72 cm ; Museum of Fine Arts, Boston.* Gauguin fut frappé par la composition légèrement inclinée, centrée sur le virage, de cette vue d'un petit village entre Pontoise et Osny, mais aussi par sa facture à coups de brosse réguliers qui structurent toute la surface de la toile. Ce sont des œuvres comme celles-ci qui l'incitèrent à s'orienter vers des modes d'expression plus subjectifs que l'impressionnisme.

◆ *Portrait d'Aline, vers 1879-1880 ; aquarelle ; 18,6 x 16,2 cm ; collection particulière.* La seule fille de Gauguin, née le 24 décembre 1877, reçut le nom de la mère de l'artiste et resta toujours sa préférée. Ce portrait, qui trahit la main encore hésitante d'un débutant, témoigne néanmoins d'une grande sensibilité.

d'artiste dans lequel il projettera beaucoup de ce qu'il voudrait être. Selon lui, en effet, « Cézanne, l'incompris », dont le visage reflète « la nature essentiellement mystique de l'Orient », affectionne « dans la forme un mystère et une tranquillité lourde de l'homme couché pour rêver » ; sa couleur « est grave comme le caractère des orientaux » et, comme il « passe des journées entières au sommet des montagnes à lire Virgile et à regarder le ciel », « ses horizons sont élevés, ses bleus très intenses et le rouge chez lui est d'une vibration étonnante ». Cette estime et cette admiration ne seront pas réciproques : fermé et soupçonneux, Cézanne a d'abord craint que Gauguin ne lui vole ses découvertes techniques, sa « petite sensation ». Et, plus tard, il n'a guère apprécié sa peinture synthétiste, son rejet du modelé, et moins encore ses tableaux « sauvages ».

On ne saurait en tout cas limiter à des influences à sens unique la période impressionniste de Gauguin. Animé par un fort désir de s'affirmer à l'intérieur de ce groupe d'artistes prestigieux, les modernes par excellence, il a tendance à vouloir dicter des règles au sein d'une coalition qui montre déjà les premiers signes d'une perte de cohésion ; il insiste ainsi pour le maintien d'une certaine unité d'idées et d'un haut niveau de qualité, tout en plaidant en faveur d'un élargissement à de plus jeunes, avec une détermination et un autoritarisme qui déconcertent les chefs de file du mouvement. Son souci de se forger une identité de peintre impressionniste procède aussi d'un certain opportunisme : c'est seulement au sein d'un groupe solide et reconnu qu'il pense pouvoir percer sur le marché de l'art moderne. Le sort allait en décider autrement, mais Gauguin est resté pendant au moins cinq ans guidé par cette conviction, et il a conservé tant qu'il l'a pu l'idéal d'un travail communautaire entre artistes qui se soutiendraient pour imposer leur production. Avec méthode et persévérance, il s'attaque donc aux thèmes traités par les impressionnistes – les paysages à la Pissarro, les difficiles effets de neige, les natures mortes et les bouquets – et s'aligne, pour ses figures, sur une sorte de réalisme impressionniste avec cette *Étude de nu* qui, en 1881, lors de la sixième exposition impressionniste, va attirer l'attention de la critique. En effet, Huysmans, l'écrivain qui allait bientôt porter un coup décisif au réalisme avec son roman *À rebours*, lui reconnaît alors un « incontestable tempérament de peintre moderne » et, songeant sans doute à la *Bethsabée* du Louvre, compare son nu à un Rembrandt. Mais au fond, Gauguin se moque bien des observations de ce littérateur qui n'apprécie dans son travail qu'un antiacadémisme désormais acquis. Il se félicite surtout d'être parvenu à un résultat honorable sur un thème classique et qui deviendra un de ses préférés pendant sa maturité, le nu. Sur un mode plutôt réaliste, certes, mais fort éloigné de la simple rationalité imitative. Ainsi, pourquoi pas un nu en train de coudre, dos à la lumière, sur fond de mandoline et de tapis orientalisant ?

Gauguin se sent attiré par un art autobiographique, qui ménage une place à cette dimension affective, introspective, rêveuse, qui lui correspond le mieux. Il mène une vie bourgeoise, partagée entre son travail à la Bourse – pour subvenir aux besoins d'une famille qui s'est considérablement élargie, avec cinq enfants nés entre 1874 et 1883 – et la peinture, qui occupe tout son temps libre. Les meilleurs tableaux de sa période impressionniste, les plus personnels, reflètent cette existence : les environs de son pavillon du quartier de Vaugirard, et ses enfants, Emil, Clovis et surtout Aline, sa préférée. Dans ses intérieurs, l'influence de Degas est trahie par une préférence pour les mises en page organisées autour de diagonales et les personnages relégués sur les côtés, décalés par rapport au centre ou occupant le premier plan. À l'instar de Degas, il les associe à des objets en fonction, non pas de critères naturalistes, mais comme en vertu d'un montage, suivant des correspondances de couleurs et un parti décoratif.

◆ *Le jardin et l'atelier de la rue Carcel, sur une photo de l'époque.* En 1879, Gauguin emménage avec sa famille dans ce pavillon parisien, situé dans le quartier de Vaugirard. L'intérieur de cette maison, son jardin et ses environs seront autant de motifs récurrents de ses tableaux impressionnistes. Non loin de là se dressait la fabrique de céramiques Haviland, où travailla Chaplet.

Cette dépendance formelle étroite à l'égard de Degas lui vaut avec ce dernier des rapports humains tout aussi étroits, complexes et conflictuels en raison de leurs caractères difficiles, mais reposant sur des affinités profondes, et donc durables. Degas a vite perçu le talent de ce débutant hors du commun et en a favorisé, de concert avec Pissarro, l'admission au sein du groupe impressionniste. S'il n'a jamais accepté chez Gauguin un certain opportunisme et une volonté affichée d'« arriver » et de vendre, il n'en a pas moins compris et apprécié son art, n'hésitant pas à lui prodiguer des encouragements et à lui acheter plusieurs œuvres, y compris des toiles tahitiennes mal accueillies par le public. Gauguin, pour sa part, a su tenir compte des jugements de son aîné, et les multiples transpositions de motifs de Degas qui jalonnent sa production, jusqu'aux *Cavaliers sur la plage*, de 1902, montrent assez à quel point il était attentif à son œuvre. Leur individualisme forcené,

◆ *Coffret en bois sculpté par Gauguin.* Cet objet singulier remonte à la période où il commençait à s'inspirer de Degas pour ses sculptures. Les figures portent déjà des signes d'exotisme et de primitivisme. Leur symbolisme très personnel suggère que cette boîte a pu être ironiquement destinée à Mette, au moment où leurs relations se dégradaient.

◆ En décembre 1884, à Copenhague, après avoir été provisoirement l'hôte de la famille de Mette, Gauguin emménage au 105 Gammel Kongevej (ici sur une photo d'époque). Son séjour à Copenhague fut pénible. Cette ville ne lui inspira que très peu des rares tableaux qu'il peignit pendant le rigoureux hiver danois.

◆ Gauguin, qui rencontre bien peu de succès dans ses nouvelles fonctions de représentant de commerce, se sent désormais exclusivement peintre. Il pose ici avec Mette à Copenhague, pour une de leurs dernières photos de couple bourgeois (1885). Ils se comprennent de moins en moins et la douloureuse séparation de l'artiste d'avec ses enfants est proche.

leur scepticisme vis-à-vis des idéologies socialistes humanitaires chères à Pissarro et leur défiance envers les prétendus progrès apportés par la civilisation moderne les rapprochaient. Et, au-delà de l'apparente froideur d'un art où, notait Gauguin, manque « un cœur qui remue », c'est-à-dire l'affectivité, l'émotion que lui-même recherchait, il reste l'homme intègre, l'âme noble et délicate qu'il a toujours su reconnaître en Degas.

Rouen, Copenhague, Dieppe

Lors de la septième exposition impressionniste (1882), Gauguin présente douze toiles et pastels et une sculpture. La peinture tient désormais une place prépondérante dans sa vie ; elle monopolise tous les loisirs que lui laisse son travail à l'agence Thomereau, où il est employé depuis 1880. De fait, avoue-t-il à Pissarro, les affaires l'intéressent de moins en moins. Ainsi, quand en octobre 1883, la crise de la Bourse consécutive à la faillite de l'Union générale entraîne des compressions de personnel, sa décision est prise : il lui faut vivre de sa seule peinture, vaincre à la force de son talent. Sur le conseil de Pissarro, il part avec sa famille pour

1886. DERNIÈRE EXPOSITION IMPRESSIONNISTE

◆ Georges Seurat, Un dimanche d'été à la Grande Jatte (détail), 1884-1886 ; huile sur toile ; 207,5 x 308 cm ; Art Institute, Chicago. Cet immense tableau, réalisé en atelier après de longues et minutieuses études sur place, constituait selon Fénéon un « paradigme complet et systématique » de la « nouvelle peinture », le néo-impressionnisme. Pour la première fois, Seurat appliquait avec une rigueur scientifique la théorie du mélange optique et le recours à la division du ton.

La huitième et dernière exposition du groupe impressionniste, qui ouvre en mai 1886, est le signe tangible de la désagrégation du mouvement. Les principaux noms (Monet, Renoir, Sisley, Cézanne) en étant absents, le grand tableau du jeune Seurat, *Un dimanche à la Grande Jatte*, frappe par la nouveauté absolue de son langage et se retrouve au centre des polémiques.

Admettre ou non Seurat et ses amis, comme Signac, avait fait l'objet de discussions virulentes. Pissarro, toujours favorable aux nouveautés, s'était battu pour leur participation ; d'autres s'y étaient opposés et avaient fait défection. Une fois l'exposition ouverte, Félix Fénéon, critique, salue en Seurat et ses amis les seuls innovateurs, et voit en leur peinture un impressionnisme conscient et scientifique. Reposant sur les lois de la couleur et de la vision, leur « pointillisme » entendait en effet dépasser l'éphémère et le transitoire des images impressionnistes en substituant au désordre de la touche en virgule de petits points de couleur pure, ordonnés en vue d'une synthèse optique qui garantissait une luminosité accrue et conférait au tableau une structure plus définie et plus stable. C'était l'ultime conséquence de la crise du naturalisme et de l'intellectualisme spéculatif des derniers venus à l'impressionnisme : des jeunes attentifs aux découvertes de la science et soucieux de donner à l'art un fondement théorique.

Le roman-manifeste contre le naturalisme en littérature, *À rebours* de Huysmans (1884), et le « Manifeste du symbolisme » de Jean Moréas, publié en 1886 dans *Le Figaro littéraire*, avaient déjà dénoncé les limites du réalisme et indiqué une autre dimension de la littérature et de l'art : l'idée, l'imagination, le rêve, le pouvoir d'évocation et de suggestion du verbe. La ligne, la couleur, ne pouvaient-elle pas remplir la même fonction ? *L'Introduction à une esthétique scientifique* de Charles Henry, et d'autres textes proposant les bases d'une science de l'harmonie, avec des lois de correspondance entre couleurs, lignes, directions et émotions, étaient autant de signes du glissement de la peinture vers une orientation plus cérébrale.

Bien qu'occupant dans l'exposition de 1886 une place non négligeable avec une vingtaine d'œuvres récentes, Gauguin est loin des options de Seurat et de cette sensibilité qui impliquait une alliance entre art et science. Il affichera du reste envers ces « petits jeunes gens chimistes qui accumulent des petits points » un détachement méprisant. Il a pourtant eu avec eux, pendant l'hiver 1885-1886, des contacts qui attestent un intérêt commun pour une éventuelle « science d'harmonie ». Gauguin et Seurat ont tous deux transcrit des préceptes picturaux issus d'un ancien texte oriental vulgarisé par un poète turc, Zumbul-Zadé, mort en 1809, et Gauguin a insisté sur ceux qui correspondaient le mieux à ses propres réflexions : peindre de mémoire pour conférer plus d'originalité à l'œuvre en y imprimant la sensation, l'intelligence et l'âme de l'artiste, et éviter de trop finir pour ne pas refroidir la « lave » de la première impression.

13

14

Rouen, où la vie est moins chère et où il espère trouver des amateurs dans la riche bourgeoisie locale. Mais la transition brutale entre un mode de vie confortable et sûr et la précarité de la vie de peintre a des répercussions immédiates sur sa vie de couple : Mette se sent trahie et, refusant d'élever cinq enfants dans ces conditions, regagne Copenhague, d'abord pour l'été, puis définitivement. L'artiste se résout alors à la suivre, accepte un modeste emploi de placier en bâches pour lequel il n'est guère taillé et, début décembre 1884, rejoint sa famille au Danemark.

◆ *La maison de Schuffenecker à Paris, 29, rue Boulard, où Gauguin logea par intermittence jusqu'en 1890. « Schuff » fut pour lui un ami fidèle et dévoué, toujours prêt à l'aider pendant* *ses moments de gêne matérielle ; sa femme et ses deux enfants servirent en outre plusieurs fois de modèles à Gauguin pour des céramiques et des tableaux.*

Il dira par la suite « haïr » ce pays ; une aversion née pendant ce dur hiver 1884-1885, vécu dans un isolement presque complet. Sa haine s'adressait du reste moins à un pays dont le principal tort était de se trouver bien loin des milieux culturels parisiens qu'à une belle-famille hostile, qui ne concevait pas qu'on pût renoncer à une profitable carrière en Bourse et le considérait ouvertement comme un raté. La dégradation de ses rapports conjugaux ne fera dès lors que s'amplifier : la rupture entre sa vie artistique et son univers familial, avec les déchirements affectifs et les difficultés matérielles que cela allait comporter, est presque consommée.
Le Gauguin qui se représente sur son premier autoportrait devant un chevalet, comprimé dans un espace exigu, comme en suspens, mais avec un regard direct et sûr de lui, est à la fois l'homme en crise et l'artiste dont les convictions mûrissent, même si sa peinture marque

◆ *Mélasse (1885). Cette caricature de la famille Gauguin dessinée sur papier à en-tête de la firme Dillies & Cie fait allusion aux difficultés matérielles* *persistantes de l'artiste, consécutives à sa décision d'abandonner la Bourse pour se consacrer entièrement à la peinture.*

inévitablement le pas, hésitant entre son attachement au style impressionniste et le difficile processus de dépassement du motif. Il est aidé dans ses réflexions par des lectures, qui l'initient aux fondements d'un art opposé aux règles du naturalisme et l'orientent vers une poétique symboliste. À son ami Émile Schuffenecker, un ancien collègue de travail qui a décidé, comme lui, de se consacrer exclusivement à la peinture, il communique ainsi en janvier 1885 des observations inspirées par la lecture de l'essai de Baudelaire sur Delacroix : l'idée d'un art qui, avec des moyens différents de ceux de la littérature, traduit la pensée, cette « infinité de choses » qui échappent à la logique et à la raison mais qui pourtant existent et « qu'aucune éducation ne peut détruire », fait son chemin dans son esprit.
De Delacroix il retient, via Baudelaire, la notion du pouvoir symbolique et suggestif de la couleur, analogue à celui de la musique. D'où le principe d'« atmosphère colorée » du tableau, régi par une loi d'harmonie générale. La couleur, les lignes, peuvent exprimer des sentiments : « Le jaune, l'orangé, le rouge, écrit ainsi Baudelaire, inspirent et représentent des idées de joie, de richesse, de gloire et d'amour. » Et Gauguin de renchérir : « Il y a des tons nobles, d'autres communs, des harmonies tranquilles, consolantes, d'autres qui vous excitent

par leur hardiesse. » Il y a cependant aussi « des lignes nobles, menteuses, etc. ; la ligne droite donne l'infini, la courbe limite la création ». Ligne et couleur sont des abstractions inventées par l'homme et, plus que le sujet, c'est l'arabesque dessinée dans l'espace qui crée le charme d'un tableau ; c'est la concision, cette sorte d'intensité sans ostentation, qui en fait le prix.
Il s'agissait, en fait, de transférer le centre de la création artistique de la nature à l'être humain. Mais pour Gauguin, reconnaître, à la suite de Baudelaire et avec pour référence Delacroix (considéré par nombre de figures-clés du postimpressionnisme comme un pionnier de la peinture pure), que les tons, l'atmosphère colorée, les lignes sont des équivalents d'états psychiques ou de traits de caractère humains, n'impliquait nullement qu'on cherchât un fondement scientifique à l'art, comme le faisait à

◆ *Paul Gauguin, Éventail, 1885 ; gouache sur tissu ; 32,5 x 56,3 cm. L'impressionnisme, Degas et l'art japonais ont donné à Gauguin le goût des éventails. À partir de 1884, il en a décoré plusieurs, en rapportant librement* *des motifs de peintres qu'il admire (Cézanne, Pissarro, Degas) ou en juxtaposant des objets et des personnages tirés de ses propres tableaux : ici la mandoline, le bouquet de pivoines, son fils Clovis.*

la même époque Seurat. Dans cet effort collectif pour sortir d'un naturalisme trop étroit, Gauguin entrevoit sa propre solution : faire de la peinture le véhicule de la pensée, au sens non pas rationnel mais plutôt imaginaire, affectif, instinctif de ce terme ; l'espace où le moi affleure dans sa dimension originelle, à travers une réalité non plus décrite mais transcrite au moyen d'équivalents plastiques expressifs. Il prône un « art exagéré », radical, essentiel, qu'il est encore bien loin de posséder, mais qu'il pressent être sa seule issue. « Travaillez librement et follement […], écrit-il à Schuffenecker. Surtout ne transpirez pas sur un tableau ; un grand sentiment peut être traduit immédiatement, rêvez dessus et cherchez-en la forme la plus simple. »
Entre ces réflexions, très avancées, et ses problèmes matériels et conjugaux, le hiatus est énorme. À Copenhague, il se démène comme un beau diable, prépare même une exposition, qui ne tardera pas à fermer dans le désintérêt général. En juin enfin, il se décide à rentrer en France avec un de ses fils, Clovis, dont la présence va encore compliquer sa situation d'homme contraint de se contenter de petits boulots pour survivre et de compter sur la générosité de ses amis. Misant sur son succès artistique lors de la prochaine exposition impressionniste, il se remet à peindre dans les environs de Paris puis, pendant l'été, à Dieppe, chez un ami. Dans ce port pittoresque, lieu de villégiature élégant et rendez-vous d'écrivains et d'artistes anglais et français comme Degas, son aspect et ses manières volontiers frustes, peu conformes au cliché de l'artiste élitiste et mondain, le marginalisent, et sa peinture reste fidèle à l'impressionnisme.

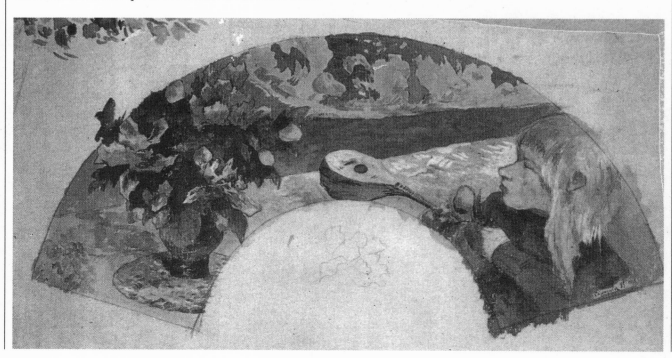

Bretagne, Martinique et premières céramiques

Des tons « très peu distants les uns des autres », une « harmonie sourde » avec des « arbres denses », un « air lourd », des « roux de toitures et de bêtes » que le peintre « oppose constamment à ses verts », telles sont, finement saisies par Fénéon, les caractéristiques des peintures de Gauguin exposées en 1886 : un impressionnisme personnel, marqué par l'influence de Pissarro et de Degas.

Le départ de Gauguin pour la Bretagne, début juillet 1886, découle de motivations dont la complexité n'a d'égale que l'importance que ce séjour revêtira comme élément déclenchant de voyages ultérieurs, plus cruciaux sur le plan artistique.

Le premier objectif de l'artiste est de « fuir Paris qui est un désert pour l'homme pauvre ». S'y ajoute le désir d'échapper au sentiment d'isolement artistique qu'il éprouve, depuis l'éclatement du groupe impressionniste et la conversion de Pissarro au pointillisme. Il se réfugie donc à Pont-Aven, où la pension Gloanec, fréquentée par des « rapins » en quête de motifs pittoresques et soucieux d'économiser leurs deniers, lui a été conseillée par une de ses connaissances, le peintre Jobbé-Duval. Mais le choix de cette destination reposait aussi sur nombre d'écrits concernant la Bretagne qui faisaient écho à son attrait pour des contrées épargnées par la modernité. De Chateaubriand à Renan, en passant par une foule d'autres voyageurs français et britanniques, il existait toute une littérature de témoignages

◆ Bien avant l'arrivée de Gauguin, Pont-Aven attirait déjà une foule de rapins en quête de motifs folkloriques. Nombre d'entre eux fréquentaient, en raison de la modicité de ses prix, la pension Gloanec (ici sur une photographie d'époque), où Gauguin séjourna aussi à plusieurs reprises. Il rencontra là-bas Charles Laval et Émile Bernard, mais se tint à l'écart de la plupart des autres peintres.

◆ Paul Gauguin, Bretonne, 1886; pastel; 48 x 32 cm; Glasgow Museums, The Burrell Collection. Gauguin a utilisé ce dessin pour son tableau La danse des quatre Bretonnes et pour le décor du vase cylindrique en grès émaillé qu'il réalisa avec Chaplet pendant l'hiver 1886-1887.

et d'impressions sur la région. *Par les champs et par les grèves*, le récit du périple en Bretagne de Flaubert et Maxime du Camp, venait justement de paraître, de même que divers articles de Barrès dans *Le Voltaire*. Tous ces textes s'accordaient pour reconnaître la spécificité d'une terre qui demeurait une sorte de monde à part, isolé, d'une beauté triste et sauvage. L'histoire et le tempérament de ses habitants y avaient garanti la préservation des us et coutumes d'antan, d'un art populaire archaïque, et même d'antiques superstitions païennes sous un vernis de christianisme.

Tout cela séduisait Gauguin, lui promettant la tranquillité et les nouveaux motifs qu'il cherchait. Pendant trois mois, il va ainsi travailler à l'écart des autres peintres de l'auberge, respecté pour sa réserve et son assurance, et vite repéré comme « l'impressionniste ». Il observe les paysages et les gens, griffonne de nombreux croquis pour saisir leurs traits essentiels, et en tirer des lignes ou des arabesques décoratives. Autant de motifs qui le ravissent et qui lui serviront pour élaborer ses premiers tableaux à sujets bretons.

Curieusement – et première manifestation de cette logique particulière qui assure l'unité de son œuvre –, ces expériences graphiques vont bientôt se prolonger dans un autre domaine, la céramique. Jusqu'à cet hiver 1886-1887, Gauguin s'est sporadiquement attaqué, avec des résultats variables, à la sculpture. Il s'est essayé au modelage sous la direction d'un sculpteur académique, Jules Bouillot, l'année de sa première exposition avec les impressionnistes, puis il a expérimenté le travail sur bois, sous l'influence de Degas et au gré de sa fantaisie ou d'amitiés occasionnelles. Mais à présent, la céramique l'intéresse aussi pour ses éventuels débouchés pratiques : la possibilité d'arrondir ses revenus grâce à un genre alors en plein essor, dans le cadre de la réhabilitation d'un artisanat qui avait été avili par la production commerciale. La céramique d'artiste pouvait, de fait, sembler un mode d'expression idéal pour quelqu'un qui, comme lui, estimait être né pour se consacrer à une « industrie d'art ». Elle combinait les plaisirs de manipuler un matériau humble, originel, d'y imprimer sa marque, puis de s'en remettre aux aléas de la cuisson pour transfigurer un simple objet utilitaire en création unique et précieuse. Gauguin passera du reste assez vite de l'objet en céramique à la sculpture céramique, reléguant peu à peu l'objectif utilitaire derrière celui de la création personnelle.

C'est Ernest Chaplet (1835-1909), un grand maître de la céramique Art

Nouveau, propriétaire d'un prospère atelier de céramiques émaillées à décor floral, qui va l'initier à cet art. Ils collaboreront à plusieurs reprises et les premiers vases de Gauguin, ceux qu'il nomme « les petits produits de mes hautes folies », revêtent un caractère expérimental et fantaisiste. Ils allient le désir de renouveler les formes et les répertoires d'ornements traditionnels avec des motifs d'une naïveté plus ou moins rustique, d'inspiration bretonne ou empruntés à Degas, et la volonté de concevoir des formes élémentaires et décoratives

◆ Paul Gauguin, Vase en céramique décoré d'une danseuse de Degas, 1886-1887; h. 21,6 cm; Kunstindustrimuseet, Copenhague. Référence majeure de ses premiers essais de sculpture, Degas fait aussi l'objet de citations dans ses décors de poteries.

s'inscrivant dans ce souci de simplification qui le mènera au synthétisme. Le mince fil conducteur qui relie les différentes expériences de cette période de recherches solitaires est le besoin de changement : de Pont-Aven à l'exploration de la céramique, domaine nouveau pour lui, jusqu'à une fuite plus radicale, qui renoue avec le souvenir de ses premiers voyages en mer, vers Panama et la Martinique. L'impossibilité dans laquelle il se trouve de vivre décemment à Paris, faute de revenus suffisants, entraîne chez lui un malaise qui se traduit par un rejet de la civilisation moderne et par la tentative de définir un mode d'existence et une pratique artistique qui s'y opposent. Manger « pour rien » et travailler en paix, retremper ses énergies épuisées par la lutte continuelle pour l'argent, aller vivre loin de tous, « en sauvage », voilà pourquoi Gauguin décide de partir pour les tropiques en avril 1887, avec son ami peintre Charles Laval, dont il a fait la connaissance à Pont-Aven. À Panama, où son beau-frère, Juan Uribe, tient un commerce,

16

il espère pouvoir faire fortune tout en peignant. La réalité sera bien autre : aucune entreprise digne de ce nom, un séjour pénible sur cet isthme malsain, où il travaille brièvement sur le chantier du canal afin de gagner de quoi s'embarquer vers des rivages plus hospitaliers. Ce seront ceux de la

◆ Paul Gauguin, Femmes de la Martinique, 1887; pastel; 48,5 x 64 cm; musée des Arts africains et océaniens, Paris. L'exotisme des costumes encourage une stylisation décorative et une accentuation des contours. Comme en Bretagne, des dessins ont servi de point de départ aux tableaux martiniquais.

ment au retour de Gauguin de la Martinique, et s'élargit bientôt au frère de Vincent, Théo, dont les fonctions dans la galerie Boussod et Valadon ouvrent à Gauguin de nouvelles perspectives de ventes.

Pendant l'hiver 1887-1888, ce bain d'exotisme de la Martinique lui inspire de nouvelles créations céramiques, où intervient la composante – exotique justement – du vase anthropomorphe, empruntée à des exemples péruviens qu'il avait vus dans son enfance : une typologie qui se prête bien à des effets symbolistes et qui débouchera sur ses pots en forme d'autoportraits.

« J'aime la Bretagne, j'y trouve le sauvage, le primitif. Quand mes sabots résonnent sur ce sol de granit, j'entends le ton sourd, mat et puissant que je cherche en peinture... » Cet aveu à Schuffenecker, vers la fin février 1888, est celui d'un Gauguin qui a trouvé une analogie, au sens des correspondances évoquées par Baudelaire dans son célèbre poème, entre le caractère d'un lieu, qu'il a désormais assimilé, et sa peinture. Ce retour à Pont-Aven en hiver, saison peu propice au travail en plein air, surtout pour lui qui souffre encore des séquelles d'une malaria contractée sous les tropiques, correspond à une nouvelle fuite de Paris et à un approfondissement de sa réflexion sur les thèmes bretons. Revenir sur des motifs déjà étudiés, à partir de dessins remontant à son séjour précédent, l'aide à passer de la vérité de ce paysage qui lui est maintenant familier, avec ses habitants en costume traditionnel, à la vérité de formes qui commencent à composer pour lui une sorte de répertoire mental : arabesques, contours, plans de couleurs lumineuses. Il exprime à présent un lien affectif avec cette réalité, tout en parvenant à conserver à l'égard des motifs – le berger en blouse bleue, la Bretonne assise ou glanant, la petite vache – la distance qui lui est néces-

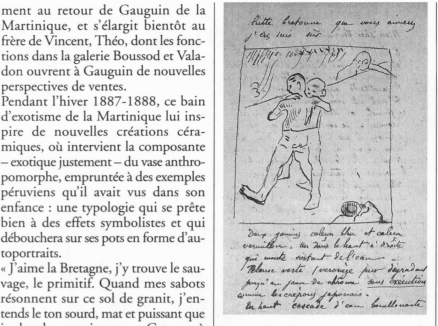

◆ Croquis de jeunes garçons luttant, sur une lettre adressée par Gauguin à Vincent Van Gogh le 25 juillet 1888 pour lui décrire un de ses derniers tableaux. La composition en diagonale et l'économie des moyens sont ses trouvailles formelles du moment.

Martinique, dont la beauté et un magnifique jardin des Plantes avaient fait la réputation de perle de l'écrin colonial français. Et même si Gauguin n'y séjourne que de juin à octobre, contraint de rentrer précipitamment en France pour raisons de santé, cette expérience martiniquaise va se révéler exaltante et fructueuse pour son art. « Là seulement je me suis senti vraiment moi-même, et c'est dans ce que j'en ai rapporté qu'il faut me chercher », affirmera-t-il ainsi en 1890.

Dans un endroit idéal pour peindre, au bord de la mer et à proximité de Saint-Pierre, alors capitale de l'île, au cœur d'une nature splendide et à la végétation exubérante, il a en effet sous les yeux des motifs nouveaux offrant un spectacle « admirable » : des femmes aux toilettes multicolores, aux gestes et aux mouvements gracieux, qui effectuent d'incessants allers et retours pour transporter les marchandises de la côte vers l'intérieur des terres. Il ne lui en faut pas davantage pour donner un ressort

nouveau à l'habitude, qu'il a prise à Pont-Aven, de dessiner les modèles en pose pour les insérer ultérieurement dans des compositions plus construites. Il enrichit en outre sa palette, approfondissant et intensifiant ses couleurs, sans renoncer pour autant à ses mises en page compactes, ses juxtapositions de tons voisins et sa recherche d'un ordre décoratif. Il voyait en ses toiles martiniquaises des œuvres « d'attaque », qui allaient stupéfier les milieux artistiques parisiens. Elles avaient cependant aussi le charme poignant, « doux, navré, étonnant » que sut y saisir parfaitement Vincent Van Gogh.

Van Gogh et lui se connaissaient à peine. Leur amitié débute précisé-

saire. Il construit de préférence ses tableaux en atelier, à coups de fines touches hachées endiguées par des contours fermes, englobées dans des structures étudiées qui comportent des figures plaquées sur les paysages, des horizons hauts ou sans ciel, de grandes lignes diagonales.

Il garde toujours en tête l'impressionnisme et les maîtres de son époque : Pissarro, mais aussi Degas, Cézanne et même Puvis de Chavannes, le grand décorateur. Transposant leurs personnages et leurs compositions, il les intègre à ses vues de Bretagne tout en s'acheminant vers une peinture de plus en plus simple, peu fignolée : celle qu'il expérimente avec ses tableaux de jeunes garçons nus se baignant ou se battant – « une lutte de deux gamins », explique-t-il, « tout à fait japonais par un sauvage du Pérou. Très peu exécuté [...] ».

Ce japonisme qu'il a emprunté à Degas et que trahissait son goût pour les fonds en papier peint, les mises en page asymétriques, peu orthodoxes, et l'aplatissement des figures –, devient une référence patente. Car les estampes japonaises, dont sa connaissance s'accroît au contact des frères Van Gogh, qui les collectionnaient avec passion, constituent désormais pour lui les modèles d'une peinture faisant table rase des méthodes traditionnelles (perspective, volume, profondeur) et qui se rapproche, par son souci de simplification, de cette barbarie dans laquelle Baudelaire avait reconnu les caractères d'un art expressif et vital, comme l'art des « primitifs ».

◆ Edgar Degas, Petites filles spartiates provoquant des garçons, vers 1860-1862; huile sur toile; 109,2 x 154,3 cm, National Gallery, Londres. Vers 1860-1865, les compositions de Degas restaient tributaires d'un certain académisme, mais insistaient sur divers éléments de la réalité observée. Gauguin s'en est inspiré pour ses tableaux de jeunes Bretons nus.

Abstraction, synthétisme, symbolisme

Bretagne, été 1888. On attribue à la rencontre cruciale entre Paul Gauguin et Émile Bernard en août 1888, à Pont-Aven, la naissance du synthétisme, un tournant artistique qui marque le véritable dépassement de l'impressionnisme. Ce sera le point de départ d'un symbolisme pictural moderne fondé sur les équivalents plastiques, la ligne, les aplats de couleur pure, l'abstraction. Quelque chose d'extrême, de radical s'est opéré lors de cette rencontre, qui déboucha sur des résultats exceptionnels. Ce fut un de ces moments-clés où volonté et hasard s'associent pour donner corps à des idées en gestation, qui étaient dans l'air du temps. Chacun a ensuite suivi sa propre voie : Gauguin sur un mode absolument personnel, projeté dans une fuite au loin et vers l'avant, en véritable précurseur de l'art

Gauguin avait à peine croisé Bernard lors de son premier séjour à la pension Gloanec, en été 1886. Par la suite, Vincent Van Gogh avait toutefois servi d'intermédiaire entre eux, les informant mutuellement de leurs recherches respectives, qui allaient clairement dans le même sens. Bernard avait déjà derrière lui quelques essais formels très

◆ *Émile Bernard, Bretonnes dans la prairie, 1888; huile sur toile; 74 x 92 cm; collection particulière. « [...] j'avais peint, me servant comme thème du costume local, une prairie ensoleillée de parti pris jaune historiée de coiffes* *bretonnes et de groupes noir-bleu », rappellera Bernard pour souligner l'influence de ses propres essais de synthétisme sur Gauguin. Van Gogh réalisa du reste une copie de ce tableau.*

moderne; Bernard se figeant sur un primitivisme conservateur, incapable de se détacher du modèle de l'art des musées. Vu la disparité de leurs envergures artistiques respectives, leurs chemins ne pouvaient que diverger. Bernard ne pardonnera jamais à Gauguin d'avoir monopolisé, avec l'appui d'un jeune critique aussi influent qu'Albert Aurier, le statut d'inventeur et de maître du symbolisme pictural. Et s'il n'avait certes pas tort de vouloir souligner son propre rôle, lors de cette féconde période d'échanges et de travail en commun, il n'en a pas moins beaucoup surévalué sa participation aux développements ultérieurs.

avancés, menés avec d'autres jeunes (Toulouse-Lautrec, Anquetin) qui, comme lui, abordaient l'art sans éprouver le besoin de passer par l'impressionnisme. Ils avaient pour références les estampes japonaises, ainsi que diverses techniques d'art primitif et populaire. Bernard affichait au demeurant une véritable passion pour les « primitifs » du Moyen Âge et les anciennes œuvres religieuses, pour leur simplicité, leur efficacité et leur ferveur; d'où son goût pour la Bretagne. Ses dernières tentatives relevaient d'un style pictural nouveau rappelant les vitraux, le « cloisonnisme ».
Ce terme, emprunté à la technique du

travail des émaux, désignait alors des contours accentués par des lignes sombres, cernant des plans colorés : « une peinture par compartiments » sous-tendue par une « construction intellectuelle et systématique », comme le notera, dans un article fondateur, l'écrivain et critique Édouard Dujardin.
On pouvait bien parler à ce propos de synthétisme car, expliquait Dujardin, cette peinture transmettait l'essence de la réalité avec « le moindre nombre possible de lignes et de couleurs », assignant à ces deux éléments des tâches distinctes. La ligne, symbole presque abstrait, conférait à l'objet son caractère tandis que la coloration, uniforme, créait l'atmosphère, déterminant la sensation. Du reste, n'étaient-ce pas des observations sur les effets de couleur suggestifs des jeux de lumière à travers les vitraux qui avaient orienté Bernard et ses amis vers leurs expériences cloisonnistes? Il s'agissait, en somme, d'une forme d'art antinaturaliste qui s'éloignait du motif, simplifiait le réel à travers le filtre de la mémoire pour n'en retenir que les traits caractéristiques, abolissait la perspective et la profondeur, et construisait le tableau en agençant les formes de manière décorative. La ligne et la couleur étaient employées pour leur authentique valeur d'abstraction.
Il ne fait aucun doute que Gauguin, après son fructueux travail solitaire en Bretagne pendant l'hiver et le prin-

◆ *« Tête de bandit au premier abord, un Jean Valjean, [...] personnifiant aussi un peintre impressionniste [...]. Le dessin en est tout à fait spécial,* *abstraction complète. » En 1888, dans une lettre à « Schuff » agrémentée d'un croquis, Gauguin expliquait ainsi son autoportrait Les misérables.*

◆ *Dans une lettre à Vincent Van Gogh de septembre 1888, Gauguin griffonne un croquis de La vision après le sermon, avec la liste des couleurs employées et une description détaillée de la toile. Il explique* *à la même époque à Schuffenecker qu'il s'est délibérément forcé à sacrifier l'exécution finie et tout ce qu'il a appris jusqu'alors, pour privilégier le style et la dialectique couleur-ligne.*

temps 1888, était sur la même voie : « ne peignez pas trop d'après nature, écrivait-il ainsi à Schuffenecker. L'art est une abstraction, tirez-la de la nature en rêvant devant et pensez plus à la création qui résultera, c'est le seul moyen de monter vers Dieu en faisant comme notre Divin Maître, créer. » Cette conviction que l'art relève de la création divine devait forcément le rapprocher un peu plus de Bernard, mystique et cultivé, très sensible à la renaissance de l'idéalisme et du spiritualisme qui s'associait au symbolisme littéraire.
Intellectuellement mûr, intrépide

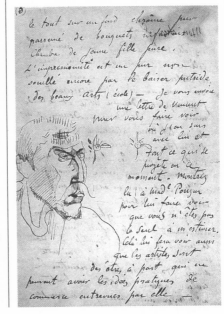

18

dans la mise en pratique de ses idées, le « petit Bernard » est, affirme Gauguin, quelqu'un « qui ne redoute rien ». Il a apporté à Pont-Aven quelques audacieux essais de synthétisme – des natures mortes, des portraits – et n'hésite pas à appliquer son nouveau style aux pittoresques motifs bretons. Ce seront les *Bretonnes dans la prairie*, simple démonstration radicale de peinture cloisonniste, entrée dans l'histoire pour avoir provoqué chez Gauguin le déclic formel qui le conduisit à peindre un de ses chefs-d'œuvre, *La vision après le sermon (La lutte de Jacob avec l'ange)*. L'intention

♦ Vincent Van Gogh, *L'Arlésienne (détail)*, 1890; huile sur toile; Rijksmuseum Kröller-Müller, Otterlo. Pendant son séjour à Saint-Rémy, Van Gogh a réalisé au

moins quatre versions d'Arlésienne à partir du dessin que Gauguin avait fait en 1888 de Mme Ginoux, à titre d'étude pour son tableau *Au café*.

L'évolution qui menait des *Quatre bretonnes* à *La ronde des petites Bretonnes* et aux *Enfants luttant* se parachevait ainsi sur le plan formel, mais avec quelque chose de capital en plus : la dimension symbolique. Prenant pour prétexte la mentalité « rustique et superstitieuse » des paysannes, Gauguin faisait coexister sur sa toile réel et imaginaire. Mais on trouve aussi derrière tout un substrat culturel, avec notamment Delacroix, auteur d'une autre lutte de Jacob brossée à Saint-Sulpice en 1861, et chez qui Baudelaire avait reconnu les principes d'un art concis fondé sur deux abstractions, la ligne et la couleur. Du reste, comment douter que le fond vermillon ait été peint en songeant aux « prairies teintes en rouge » invoquées par Baudelaire comme symbole de l'art jailli de l'imagination, « faculté unique et supérieure » qui présidait, selon lui, au processus de la création artistique ?

directs et épistolaires avec d'autres peintres, dont Vincent, seul à Arles, dans la perspective de former un petit groupe d'artistes unis et solidaires. Il y a aussi la certitude de ne pouvoir être compris, non seulement par la critique et par le public, mais aussi par les artistes les plus proches, à commencer par les impressionnistes. La voie symboliste est « pleine d'écueils », écrit Gauguin à « Schuff » en octobre 1888, mais « elle est au fond dans ma nature et il faut toujours suivre son tempérament ».

Cependant, cette voie ne passe pas obligatoirement par des sujets religieux, car Gauguin ne croit pas aux « idées poétiques » et, confesse-t-il à Vincent, c'est seulement dans les mystérieux recoins de son cœur qu'il entrevoit parfois la poésie. Ses natures mortes, d'une « imperfection fantaisiste » et fortement marquées, à l'instar de ses paysages bretons, par l'influence des estampes japonaises, constituent des aboutissement extrêmes du synthétisme et de ce que lui-même nomme l'« abstraction ». Le symbolisme imprègne davantage ses portraits, où l'exagération des traits vise à faire ressortir le caractère des modèles, sans basculer pour autant dans la caricature. C'est le cas du portrait de la jeune sœur d'Émile Bernard, la belle et sensible Madeleine, dont le charme et la vivacité intellectuelle ont beaucoup séduit Gauguin, qui lui fit une cour plus ou moins discrète. C'est encore plus vrai de son premier autoportrait symboliste intitulé *Les misérables* et dédié à Van Gogh, qui avait demandé à ses camarades de Pont-Aven de lui envoyer leurs portraits respectifs en signe de fraternité, suivant une coutume en vigueur chez les artistes japonais.

♦ Vincent Van Gogh, *Le fauteuil de Gauguin*, 1888; huile sur toile; 90,5 x 72 cm; Rijksmuseum Vincent van Gogh, Amsterdam. À sa sortie de l'hôpital d'Arles, Vincent

acheva ce portrait « fantôme » de son ami. Le siège que Gauguin occupait représente sa place vide; les livres évoquent leurs lectures préférées et la bougie revêt un sens symbolique.

Son égocentrisme, joint au malaise lié au renversement progressif de leurs rôles, empêche Gauguin de faire le portrait du « petit Bernard ». Il préférera, en définitive, se pencher sur lui-même, offrant une image ressemblante, mais excessive et comme en négatif. Celle-ci véhicule, à travers diverses références littéraires et figuratives, le personnage qu'il a le sentiment d'incarner : le « peintre impressionniste », autrement dit l'artiste libre et pur, animé par le feu de la création et non corrompu par les dogmes académiques, mais aussi – tel Jean Valjean, le héros du roman de Hugo que préférait Vincent – la victime incomprise par une société qui le marginalise et le récompense fort mal de ses bienfaits. Comme toujours chez Gauguin, la pulsion créatrice et l'intérêt pratique s'efforcent de coexister, et cette image qu'il présente de lui (semblable à celle d'un prisonnier, note son destinataire, un peu embarrassé face à un individualisme et un symbolisme si ostentatoires) vise sans doute aussi à émouvoir les frères Van Gogh afin d'obtenir une aide matérielle de Théo. Et ce d'autant plus que Vincent le presse de venir le rejoindre à Arles, pour commencer à jeter les bases de cet « atelier du Midi » dont il rêve : sur le modèle des confréries médiévales ou de l'idéal communautaire des artistes japonais et avec le soutien de Théo, le « marchand apôtre ».

La période d'Arles

Une conscience croissante de sa personnalité et de sa valeur alliée à une conviction profonde d'avoir raison en art (attestée par la singulière leçon de peinture qu'il donne en octobre au jeune Sérusier dans le bois d'Amour de Pont-Aven, séance à laquelle on doit le petit paysage devenu célèbre

initiale de l'artiste était de donner cette toile à une petite église des environs de Pont-Aven, offre qui sera naturellement déclinée par le curé. La thématique religieuse de *La vision*, nouvelle chez Gauguin, trahit certes l'influence de Bernard, de même que l'extrémisme du style. Non contente d'être « peu exécutée », cette œuvre répond en effet entièrement aux principes du synthétisme : contours marqués, plans colorés uniformes, sobriété et efficacité du couple ligne-couleur.

Les réactions seront aussi radicales que le tableau : d'un côté les attaques de Pissarro, qui verra en cette œuvre une régression, un signe d'antimodernisme, le retour à un art religieux et mystique étranger au sentiment social moderne; de l'autre la reconnaissance, par le monde des lettres, de Gauguin comme chef de file du symbolisme pictural. Mais, pour l'heure, il y a surtout l'enthousiasme de s'avancer sur une voie riche en possibilités, de travailler dans un climat exalté d'échanges

♦ En attendant la venue de Gauguin, Van Gogh avait loué une belle maison jaune à Arles, place Lamartine (ici photographiée vers 1938),

puis l'avait aménagée pour accueillir l'« atelier du Midi », accrochant plusieurs de ses toiles aux murs de la chambre destinée à son ami.

sous le nom de « Talisman »), incitent d'ailleurs Gauguin à la méfiance quant à cette perspective de cohabitation à Arles. Par la suite, il prétendra avoir joué pour Vincent le rôle de maître. En réalité, si les deux mois qu'ils ont passés ensemble furent aussi féconds qu'éprouvants et conflictuels, ils n'ont pas influé de manière déterminante ni durable sur leurs parcours respectifs. Déchiré entre son besoin d'appui financier et la crainte de voir menacer son indépendance d'artiste ou d'être exploité sur le plan commercial, Gauguin hésite longuement avant d'accepter de partir, vers la fin octobre. Et dès son arrivée, il clame dans ses lettres la déception que lui cause la cité ; un état d'esprit somme toute contredit par ses magnifiques réalisations picturales, sans nul doute imputables à une influence positive des motifs arlésiens, les jardins de l'hôpital, les Alyscamps, le café de Mme Ginoux, les mas, les vignes, les

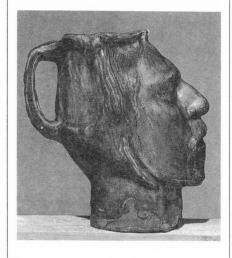

♦ *Paul Gauguin, Vase-autoportrait, 1889. Fénéon devait songer à une pièce comme celle-ci quand il évoquait « le Gauguin des vases et des statues qui inscrit un rêve* *fauve et des formes innovées dans ce grès des potiers de Takatori du XVIᵉ siècle et du XVIIᵉ siècle, aux bruns puissants et gras rehaussés de coulures sombrement éclatantes ».*

meules, et à l'éclat de cette lumière méridionale qui exalte les objets, favorisant une stylisation poussée sans pour autant trahir la vérité des lieux et des êtres. Gauguin tire aussi profit de sa confrontation quotidienne avec Vincent et de l'émulation qui s'instaure souvent entre eux devant un même motif, même si, comme il ne manque jamais de le souligner, leurs tempéraments et leurs goûts en art s'opposent radicalement. Sans que cède jamais leur divergence de fond (le penchant de Gauguin pour l'abstraction, la prise de distance à l'égard du motif, le travail de mémoire et l'attachement de Van Gogh au réel, malgré sa tendance à la simplification et

EXPOSANTS

Paul Gauguin   E. Schuffenecker   Emile Bernard
Charles Laval   Louis Anquetin   Louis Roy
Léon Fauché   Georges Daniel   Ludovic Nemo

à la déformation expressive au moyen de la couleur), Gauguin modère ainsi le côté provocateur du synthétisme de ses dernières œuvres bretonnes, alliant ses tentatives d'abstraction symbolique et de restitution de la personnalité profonde de ses modèles – dans son portrait de Vincent peignant des tournesols, par exemple – à un style fondé sur l'observation du motif. Leurs différences de caractères et l'équilibre psychique précaire de Vincent rendent toutefois leurs relations délicates, créant une atmosphère électrique qui explosera avec une tentative d'agression de Van Gogh sur Gauguin. Un soir en effet, comme pour empêcher un abandon que l'insupportable exacerbation de leurs divergences lui faisait pressentir après les dernières disputes suscitées par leur visite au musée Fabre de Montpellier, Vincent se jette sur son ami, s'autopunissant peu après en se coupant un morceau d'oreille qu'il remettra ensuite à une prostituée. Secoué, Gauguin quitte précipitamment Arles et se réfugie à Paris chez Schuffenecker. Des traces de cet épisode sont perceptibles dans un surprenant vase-autoportrait en grès flammé sans oreilles, semblable à une tête coupée, qu'il va réaliser quelque temps plus tard, après avoir assisté à une exécution capitale. Les relations entre les deux peintres reprendront toutefois très vite par correspondance, témoignage de la sympathie et de la profonde estime qui les liaient malgré tout.

L'exposition au café Volpini

Quantité d'expériences plastiques nouvelles, très variées mais liées par un même désir de s'exprimer au

♦ *Émile Bernard, Un cauchemar, dessin, vers 1888 ; musée d'Orsay, Paris. Cette caricature réunit Gauguin, Bernard et Schuffenecker, qui se sont proclamés,* *au café Volpini, les champions du nouveau style, si radical qu'il en devient un « cauchemar » pour eux, mais aussi pour les peintres rétrogrades.*

♦ *Paul Gauguin, Aux roches noires, 1889. Cette zincographie figurait en tête du catalogue de l'exposition du Groupe impressionniste et synthétiste au café Volpini. Elle associe les deux personnages* *du diptyque symboliste La vie et la mort et Dans les vagues, devant les écueils sombres et la mer agitée du Pouldu. (La femme se jetant dans les vagues est celle qui symbolise la vie.)*

moyen de l'abstraction symboliste, font suite à ces deux mois difficiles en Provence. À Paris, d'abord, avec d'autres créations céramiques (les vases-portraits et autoportraits de l'artiste, à la fois raffinés et barbares), de premiers essais de gravure sur zinc, et puis un magnifique portrait de groupe de la famille de « ce bon Schuffenecker ». Peinte avec les couleurs lumineuses et la clarté formelle des tableaux d'Arles, l'œuvre récompense bien mal l'hospitalité dévouée de « Schuff » par la façon caricaturale dont Gauguin l'y représente. On assiste ensuite en Bretagne, entre Pont-Aven et Le Pouldu, à un glissement du thème impressionniste de la baignade vers des significations symboliques universelles, avec le diptyque

La vie et la mort et *Dans les vagues.* Entre-temps se prépare à Paris un grand événement qui va se révéler crucial pour Gauguin à plus d'un égard : l'Exposition universelle commémorant le centenaire de la Révolution. Placée sous le signe de la célébration de la civilisation moderne, cette manifestation, encore plus impressionnante et ambitieuse que les précédentes, proclamait le triomphe de l'architecture en fer avec la galerie des machines et la tour Eiffel, inépuisable source d'indignation pour les nostalgiques du vieux Paris qui voyaient définitivement compromise l'image traditionnelle de la ville. Gauguin a évoqué ces constructions dans ses « Notes sur l'art à l'Exposition universelle » parues dans *Le Moderniste* : malgré son peu d'enthousiasme pour la modernité et le mythe positiviste du progrès, il appréciait la pureté de leurs structures en fer apparentes, sans habillage hypocrite. Cette Exposition représentait en outre une vaste confrontation entre les pays les plus développés sur le plan industriel et les civilisations extra-européennes. Avec tout le talent de l'époque pour les mises en scène illusionnistes et sensationnelles à visée documentaire, elle offrait, dans un déploiement scénographique destiné à attirer le plus large public, quantité de matériaux issus d'Orient et des colonies. Les villages indigènes installés au Champ-de-Mars, les pavillons coloniaux, les moulages de reliefs du temple d'Angkor, ont beaucoup intéressé Gauguin. Ces reconstitutions fidèles de leur cadre d'origine rendaient les objets bien plus vivants que dans les musées ; ils n'en devenaient que plus intrigants et plus frappants par leur contraste avec la vie parisienne. Gauguin a visité plusieurs fois l'Exposition. Séduit par le village javanais, avec ses danseuses et ses musiciens, il a fait l'acquisition de divers documents photographiques et a emmagasiné des sou-

20 ◆ *Paul Gauguin, Bretonnes à la barrière, 1889 ; zincographie sur papier jaune ; 16,2 x 21,6 cm. En vue de l'exposition de 1889, Gauguin a réalisé dix gravures sur zinc en reprenant* *librement ses motifs bretons et martiniquais. Présentée sous forme d'album, cette fameuse « suite Volpini » fut sa première expérience de synthétisme graphique.*

◆ *Jusqu'en 1888, date de ce cliché qui montre Mette avec leurs cinq enfants, les rapports épistolaires entre Gauguin et sa femme sont réguliers et apparemment bons. Les deux époux se* *reverront brièvement en 1891, puis s'enverront encore quelques lettres jusqu'à la rupture complète de leurs relations, suite à la mort d'Aline.*

venirs qui commenceront à prendre forme dès les mois suivants, en Bretagne, dans des œuvres à connotation exotique, d'un primitivisme rudimentaire.

Mais cette grande manifestation lui a aussi donné l'occasion de montrer son travail. La Centennale de l'art français, qui rassemblait essentiellement des artistes reconnus, ne le concernait pas et il désapprouvait les impressionnistes qui avaient accepté d'y figurer. Son objectif était de se distinguer et de prouver que son refus du compromis avec l'académisme et les officiels était le bon choix, sur le plan moral comme sur le plan formel. Et, bien sûr, le principal front auquel s'opposer était alors celui des néo-impressionnistes « pointillistes », avec lesquels il avait totalement rompu. L'heureuse opportunité, saisie au bond par Schuffenecker, d'accrocher des tableaux sur les murs du café Volpini, situé dans les galeries extérieures du palais des Beaux-Arts et resté dépourvu des miroirs initialement prévus pour sa décoration, va ainsi se transformer en petite exposition. Pour Gauguin, c'est la meilleure façon de se présenter à la critique et au public : avec « un petit groupe de copains » triés sur le volet. Ce seront essentiellement Bernard, Schuffenecker, Laval, Anquetin et Daniel de Monfreid. Gauguin souhaitait aussi la participation de Van Gogh, mais son

GAUGUIN MAÎTRE : LE TALISMAN

◆ *Paul Sérusier, Le talisman, 1888 ; huile sur bois ; 27 x 21,5 cm ; musée d'Orsay, Paris. Derrière ce tableau, l'artiste a noté : « fait le 11 octobre 1888 sous la direction de Gauguin », attestant ainsi l'influence fondamentale* *des conceptions picturales de son aîné sur lui et sur les futurs nabis. En 1890, Sérusier reviendra solliciter les conseils de Gauguin en Bretagne, pendant la seconde phase de la décoration de l'auberge Henry au Pouldu.*

Les œuvres exposées au café Volpini constituèrent une véritable leçon de style moderne pour les jeunes artistes qui allaient former le groupe des nabis. Ceux-ci connaissaient déjà les options de Gauguin en matière de peinture par l'intermédiaire de Sérusier et de son fameux « Talisman ». Le théoricien du synthétisme Maurice Denis a ainsi rapporté l'épisode qui allait lancer une des tendances les plus novatrices de l'art de la fin du siècle : « C'est à la rentrée de 1888 [à l'académie Julian] que le nom de Gauguin nous fut révélé par Sérusier, retour de Pont-Aven, qui nous exhiba, non sans mystère, un couvercle de boîte à cigares sur quoi on distinguait un paysage informe à force d'être synthétiquement formulé, en violet, vermillon, vert Véronèse et autres couleurs pures telles qu'elles sortent du tube, presque sans mélange de blanc. "Comment voyez-vous cet arbre, avait dit Gauguin devant un coin du Bois d'Amour : il est bien vert ? Mettez donc du vert, le plus beau vert de votre palette ; - et cette ombre, plutôt bleue ? Ne craignez pas de la

peindre aussi bleue que possible". Ainsi nous fut présenté, pour la première fois, sous une forme paradoxale, inoubliable, le fertile concept de la "surface plane recouverte de couleurs en un certain ordre assemblées". Ainsi nous connûmes que toute œuvre d'art était une transposition, une caricature, l'équivalent passionné d'une sensation reçue. Ce fut l'origine d'une évolution à laquelle participèrent immédiatement H.-G. Ibels, P. Bonnard, Ranson, M. Denis. »

Le paysage esquissé sur le couvercle de cette boîte avait été appelé *Le talisman* à cause de son pouvoir magique de révélateur d'une conception nouvelle de la peinture. La graine avait donc été semée. Et, au café Volpini, ces jeunes et d'autres, comme Maillol, Vuillard, Roussel, purent admirer l'admirable fusion d'éléments apparemment antithétiques dans un style éminemment décoratif : ingénuité et science, intensité chromatique et élégance de la ligne, simplicité des thèmes et connotations symboliques.

frère, Théo, s'y opposa, jugeant peu digne cette façon d'entrer par la petite porte dans une manifestation d'une telle importance. « C'est notre groupe ! » n'en proclame pas moins Gauguin avec fierté, et l'appellation choisie, « Groupe impressionniste et synthétiste », veut refléter l'alliance d'un idéal d'artiste libre et pur, antiacadémique, et d'un nouveau style, censé être le signe distinctif des exposants. Or ceux-ci étaient loin de tous posséder une puissance d'expression comparable à celle de Gauguin, ou même de Bernard, et leurs productions n'avaient en

outre rien d'homogène. La perplexité des critiques – fussent-ils les plus attentifs et les mieux disposés, comme Fénéon et Aurier – était d'autant plus inévitable que les deux termes dont se qualifiaient ces peintres semblaient désormais rigoureusement opposés, l'un étant synonyme de naturalisme et l'autre du contraire. Si l'on y ajoute la désapprobation des amis de longue date, Degas en tête, le désintérêt du public et l'absence de ventes, le bilan de l'exposition fut globalement négatif pour Gauguin. Ce fut néanmoins un événement décisif pour les jeunes

◆ *Fragment d'une lettre envoyée par Gauguin à Vincent Van Gogh en novembre 1889, comprenant des croquis aquarellés de* Soyez amoureuses, vous serez heureuses *et* Le Christ au jardin des Oliviers. *Le rapprochement de ces deux œuvres majeures mais très diverses réalisées au Pouldu pendant le second semestre 1889 - un tableau et un relief en bois, une scène tirée des Évangiles, une autre profane et barbare - s'explique par le fait que l'artiste exprime dans chacune un aspect de sa personnalité.*

artistes qui reconnaîtront en lui leur maître : les nabis (prophètes), déjà alléchés par le « Talisman ». L'exposition du café Volpini restera donc une date cruciale dans l'histoire de l'art moderne.

Les œuvres bretonnes de 1889-1890

Le retour de Gauguin à Pont-Aven, puis son installation dans le petit port de pêcheurs sauvage et rustique du Pouldu, sont symptomatiques d'un besoin d'isolement après les déconvenues et l'amertume liées à l'exposition chez Volpini. L'artiste cherche alors un refuge où progresser en paix sur cette voie qu'il sent être la sienne, pour pouvoir offrir à ses amis le « Gauguin presque nouveau » qu'il leur avait promis. Son symbolisme personnel puise désormais dans l'art religieux, revêtant une dimension sacrée plus proche du mysticisme et du culte des primitifs de Bernard, avec qui il entretient des relations épistolaires suivies. Mais son intérêt pour les cultures figuratives éloignées dans l'espace et dans le temps va le conduire à une forme de primitivisme plus extrême que celui de Bernard, à une démarche qui l'impliquera corps et âme.

Ses transpositions de scènes traditionnelles de la vie du Christ dans la réalité familière des paysages bretons,

◆ *Paul Gauguin,* Deux petits Bretons, *1889; 26,4 x 38,9 cm; musée national des Arts africains et océaniens, Paris. Ces dessins rappellent ceux du petit paysan breton en blouse et chapeau rond qui figure dans plusieurs tableaux que l'artiste a peints à Pont-Aven pendant l'hiver et le printemps 1888.*

à travers la médiation d'œuvres d'art populaire en bois ou en pierre, procèdent certes d'un antimodernisme virulent (« à la civilisation pourrie je cherche à opposer quelque chose de plus naturel, partant de la sauvagerie »), mais visent surtout à trouver des résonances universelles, à découvrir dans toutes les croyances un fonds commun, une racine intemporelle. Gauguin se reconnaît ainsi dans le Christ de la Passion, comme lui incompris, trahi, persécuté, allant jusqu'à lui prêter ses traits dans l'extraordinaire *Christ au jardin des Oliviers*, représentation d'une souffrance à la fois humaine et divine, dans une nature désolée qui est la projection de son âme. Cette œuvre, assure-t-il, il l'a peinte pour lui, sans s'attendre à ce que d'autres la comprennent. Si sa démarche trouve un écho dans la littérature symboliste (avec *Les grands initiés de Schuré* et le poème d'Aurier « L'Œuvre maudit », où l'artiste, de tout temps incompris, est assimilé au Christ persécuté, en une sorte de cristallisation métaphorique du concept symboliste d'art comme création qui élève l'être humain au rang de divinité), est rendue crédible par cette image de Christ est la nécessité intime dont elle jaillit, l'évolution intérieure accomplie par Gauguin depuis son autoportrait *Les misérables*.

Du reste, vers la même époque, il propose une autre projection de lui-même, dans un relief en bois d'une puissante beauté formelle. « Gauguin (comme un monstre) prenant la main d'une femme qui se défend », explique-t-il à Bernard. Car c'est bien lui, barbare, grotesque, qu'on y voit sucer son pouce en un geste de régression infantile, dans un chaos de figures négatives qui transmettent ce sentiment de tristesse, de désir charnel et de dérision amère contenue dans le titre : *Soyez amoureuses, vous serez heureuses*. Il s'agit d'images intimes, bien différentes de l'imposant *Autoportrait au Christ jaune* où il se présente sous un jour plus digne et contrôlé, le visage tendu entre deux œuvres qui incarnent deux aspects de sa personnalité : le sauvage du pot-autoportrait en forme de tête de grotesque et le versant, sacrificiel et sublimé, de l'artiste identifié au Christ en croix.

« Ce que je désire c'est un coin de moi-même encore inconnu », assure-t-il. Ce travail d'introspection s'opère au fil d'œuvres issues de la longue observation des tristes beautés de la côte et de l'arrière-pays du Pouldu, de ces paysans fidèles à leurs pratiques ancestrales et à leurs costumes sévères, rivés à un éreintant labeur quotidien, en la physionomie desquels Gauguin croit percevoir quelque chose d'asiatique. Cette région où, comme il l'écrit à Vincent, les gens « ont un air du Moyen Âge et n'ont pas l'air de penser un instant que Paris existe et qu'on soit en 1889 », se révèle une puissante incitation à des méditations sur la vie et le travail humain. Et dès lors que le coin inconnu de lui-même à découvrir est son « fond de naissance indien, incas », une sorte d'échange s'instaure : « je cherche à mettre dans ces figures désolées le sauvage que j'y vois et qui est en moi aussi ».

◆ *Depuis l'atelier que partageait Gauguin avec Meyer de Haan en octobre 1889, au dernier étage de la villa Mauduit aux Grands Sables, on jouissait d'une vue superbe sur la mer, ainsi que sur le sable rougeâtre, les champs et les paysans au travail.*

22

Il peint ainsi des paysannes se promenant, indifférentes, au bord de la mer avec leurs vaches, ou bien assises, plongées dans une calme résignation, ou encore au travail dans les champs. Des figures d'une monumentalité nouvelle, rendues sans les « trucs » du trompe-l'œil et du plein air, qu'il n'aime pas, avec des gestes, des attitudes et des vêtements simplifiés, synthétisés. Réflexion sur l'humanité et travail sur la forme vont de pair, et sa conviction d'un fossé entre art et nature se renforce : « *Tout* depuis les âges les plus reculés est dans les tableaux, tout à fait conventionnel, voulu », écrit-il encore à Vincent.
La fréquentation de Jacob Meyer de Haan se reflète dans nombre de ses œuvres. Ce Hollandais, rencontré par l'intermédiaire de Théo Van Gogh et de Pissarro, avait renoncé à la sécurité d'une prospère industrie familiale pour venir peindre à Paris ; il était devenu son élève le plus assidu et le soutenait aussi un peu financièrement. Sa physionomie particulière, d'homme au physique plutôt ingrat, revient dans

différents portraits « à la charge » que Gauguin lui a consacrés. Féru d'ésotérisme et de spéculations philosophiques, de Haan avait étudié les religions orientales, ce qui lui vaut dans les œuvres de Gauguin une allure de mage et quelque chose de diabolique. À la lueur de la lampe, symbole de connaissance, devant ses livres préférés, le Meyer de Haan magicien peint par Gauguin nous apprend beaucoup

sur leurs centres d'intérêt et sur les thèmes qui alimentaient leurs discussions. Ce sont ceux qu'on retrouve dans une singulière œuvre d'art total (depuis longtemps démembrée) qu'ils entreprirent ensemble à la mi-novembre 1889 et menèrent rapidement à bien : la décoration de la salle à manger de l'auberge Henry où ils se retrouvaient le soir, à la veillée. Rien, dans tout cela, de systématique ni de programmatique, juste des peintures exploitant les moindres surfaces libres et quelques sculptures. Mais au moins deux fils conducteurs : embellir un espace et mettre à l'honneur ceux qui y vivent, au travers de portraits et d'images exprimant leurs idées sur la vie et sur l'art. Le thème central était le travail, illustré par une grande peinture murale de Meyer de Haan, *Bretonnes travaillant au rouissage du lin*, ainsi que par la *Jeune fille filant la laine* et deux scènes bretonnes de Gauguin, une fenaison et un paysage. S'y rattachait le thème religieux de l'expulsion de l'homme du paradis terrestre, conformément aux idées de Gauguin sur la chute et la déchéance humaine que développait un des ouvrages bien en évidence dans son portrait de Meyer de Haan, *Le paradis perdu* de Milton, tandis que le second livre représente, *Sartor resartus* de Carlyle, abordait les aspects corrupteurs de la civilisation moderne. D'autres œuvres, intégrant des motifs exotiques traités avec un primitivisme naïf, telle cette *Femme caraïbe*, suggérée par les danseuses asiatiques de l'Exposition universelle, ou sa version sculptée *La luxure*, renvoyaient à l'opposition chère à Gauguin entre un libre épanouissement de la sensualité dans les sociétés primitives et le moralisme hypocrite de la civilisation occidentale, mais à travers les traits durs et peu

attrayants d'une figure qui associait à la tentation charnelle le spectre de la mort, reprenant la signification négative de *Soyez amoureuses, vous serez heureuses*.
La valorisation des résidents de l'auberge passait également par un portrait que fit de Haan de sa jolie propriétaire (Marie Henry, surnommée Marie Poupée, qui eut une liaison avec lui) en train d'allaiter son enfant, et par des portraits-charge des deux peintres dus à Gauguin : de Haan en mage maléfique méditant sur la chute de l'humanité, le mal, la tentation, et Gauguin, lui aussi semblable à un mage, angélique et démoniaque à la fois, avec son auréole et son serpent emblème des arts divinatoires, de celui qui possède la sagesse de la nouvelle peinture synthétiste et symbolique, tentateur profane avec ses pommes grivoises. Une icône, mais iconoclaste, suivant la formule de Françoise Cachin. L'autoportrait en pied, *Bonjour monsieur Gauguin*, ex-

prime en revanche une autre facette de sa personnalité : l'artiste romantique, incompris et solitaire, qui sillonne l'orageuse campagne bretonne, salué à la hâte par une modeste paysanne. Tout le contraire du salut déférent adressé par un riche amateur à Courbet dans le célèbre autoportrait dont Gauguin calque le titre, en une sorte d'autodérision.
Les peintures de l'auberge Henry montraient ainsi un Gauguin en quête d'une forme de sagesse religieuse et philosophique primordiale : un artiste martyr de ses ambitions, déchiré entre les séductions opposées du ciel et de la terre (Welsh), un homme inquiet, sous l'emprise de ce qu'il définit comme une « terrible démangeaison d'inconnu qui me fait faire des folies ».

Primitivisme, exotisme et symbolisme littéraire

Avant même que sa décision de quitter la France se fixe, pendant l'été 1890, sur une destination précise, le désir de fuir la civilisation qui taraude Gauguin se nourrit de motivations et d'influences diverses. Son rêve de créer un « atelier des tropiques » et sa conviction qu'un endroit comme Tahiti était idéal pour accomplir un destin d'artiste doivent beaucoup à ses contacts avec Van Gogh. En effet, Vincent lui avait fait découvrir *Le Mariage de Loti* (1880), un roman sentimental qui donnait de cette île une image idyllique de paradis exotique, de nouvelle Cythère, à des lieues du rationalisme et du matérialisme modernes. En outre, le goût de Gauguin pour les formes d'art primitives avait été renforcé par tout ce qu'il avait pu observer à l'Exposition universelle. Il s'en était du reste inspiré pour diverses créations à connotation tropicale comme l'*Ève exotique* et une statuette de Martiniquaise, ainsi que pour un relief en bois d'un symbolisme ésotérique, *Soyez mystérieuses* (pendant de *Soyez amoureuses,*

◆ *Entrée du Kampong javanais à l'Exposition universelle de Paris, en 1889 (d'après* L'Illustration*). Les pavillons coloniaux furent pour Gauguin les grands pôles d'attraction de cette exposition.*

Les villages indigènes, la reconstitution d'Angkor-Vat, les danses javanaises, ont renforcé son inclination pour les formes d'arts exotiques et orientales.

vous serez heureuses), qui alliait des figures aux traits exotiques à des emprunts stylistiques aux bois sculptés japonais.
Se cristallise ainsi chez lui le motif de l'opposition entre deux mondes : la civilisation occidentale, avec son matérialisme triomphant, où se prépare le « royaume de l'or », où tout « est pourri, et les hommes et les arts », et les contrées épargnées par ces maux, où point n'est besoin de lutter chaque jour pour survivre et où l'artiste peut créer librement. « Pour faire neuf, il faut remonter aux sources, à l'humanité en enfance », proclamera-t-il en 1895, de retour à Paris après

sa première expérience tahitienne : la régénération de l'art passe par le primitivisme.
Pendant les mois qui précèdent son départ, alors que, après s'être soigneusement informé sur les possibilités offertes par divers protectorats ou colonies, il a cessé d'hésiter entre Tahiti, Madagascar et le Tonkin, Gauguin commence à tisser des liens avec les milieux littéraires symbolistes. Il y est d'abord poussé par des raisons d'ordre pratique : la recherche de soutiens, parmi les écrivains en vue et les rédacteurs des revues de cette tendance, pour promouvoir sa vente aux enchères d'œuvres destinée à financer son voyage. Par l'intermédiaire de Charles Morice, le jeune auteur à la mode de la *Littérature de tout à l'heure,* qui restera longtemps son ami, il rencontre ainsi Mallarmé, alors chef de file incontesté du symbolisme poétique, et en fréquente les célèbres Mardis. En janvier 1891, il dédiera même à Mallarmé un portrait à l'eau-forte, à la fois ressemblant et ponctué d'allusions destinées au cercle élitiste des adeptes du symbolisme : ses oreilles légèrement pointues se réfèrent en effet à l'auteur de *L'Après-midi d'un faune,* et l'oiseau, derrière lui, au traducteur du poème de Poe « Le Corbeau », texte précurseur de la poésie symboliste que Baudelaire, autre pionnier de la nouvelle poétique, avait fait découvrir en France. Gauguin amorce ainsi avec les littérateurs un dialogue qu'il poursuivra à distance, avec des tableaux tahitiens symbolistes comme *Manao tupapau* ou *Nevermore.* En attendant, il ne pouvait que se reconnaître dans l'invocation de Mallarmé « Fuir ! là-bas fuir ! » (un vers de « Brise marine »). Et quand, plus tard, il essaiera d'expliquer le sens de sa grande toile *D'où venons-nous ? Que sommes-nous ? Où allons-nous ?* il recourra à la définition du symbole proposée par le poète : suggérer au lieu de dire, car « l'essentiel dans une œuvre consiste précisément dans ce qui n'est pas exprimé ».

Les écrivains qui l'ont introduit dans les lieux de réunion symbolistes, le Café Voltaire, le restaurant La Côte d'Or, sont aussi ceux qui donnèrent de lui cette image de personnage haut en couleur qui ne pouvait certes lui déplaire, car elle flattait son besoin d'être reconnu comme un chef de file et un maître, un être d'exception jusque dans son physique, sa façon de s'habiller et de se comporter. Affichant une orgueilleuse assurance dans l'exposé de ses théories sur l'art, il arborait un mélange de rusticité, de cynisme et de noblesse. « Gauguin,

◆ *Paul Gauguin,* Madame la Mort, *1891 ; fusain sur papier ; 23,5 x 29,3 cm. Grâce à l'écrivain symboliste Jean Dolent, Gauguin reçut la commande d'un dessin pour illustrer une tragédie de*

Rachilde, Madame la Mort, *et en proposa deux. Le plus réussi, cette femme voilée qui, dans la pièce, personnifiait la mort, fut publié en frontispice du* Théâtre *de Rachilde.*

sans le vouloir, rapporte Morice, imposait une sorte d'effacement [...]. Oui, la puissance, tel était bien le caractère principal empreint dans tout son être, une force noble qui justifiait une prétention visible à la tyrannie. » Divers traits de son visage révélaient toutefois « des moments de faiblesse, ou de désespoir, jalousement cachés – et ces traits contredisaient un peu l'expression générale, toute l'énergie tranquille et consciente ». Où l'on retrouve bien les deux natures que Gauguin assurait posséder : l'Indien et « la sensitive ».
Les écrivains et les critiques qui cherchaient alors les règles d'un nouvel art reposant sur l'idéalisme vont pouvoir se mettre à les déduire des œuvres bretonnes de Gauguin, et notamment de sa *Vision après le sermon.* Le jeune Albert Aurier, un ami

◆ *Gauguin avec ses enfants Emil et Aline en mars 1891. Avant de se rendre à Tahiti, l'artiste passe quelque jours à Copenhague, pour saluer sa femme*

et ses enfants. Il n'aura plus l'occasion de les revoir par la suite. Il porte ici un gilet breton, comme dans son autoportrait dédié à Carrière.

24

Le premier séjour à Tahiti

À Tahiti, Gauguin allait chercher une terre non polluée par la civilisation industrielle, une terre vierge dont la nature, les habitants, le mode de vie, les croyances et l'art auraient incarné ce retour aux origines, à cette enfance de l'humanité en lesquelles il voyait la seule source de régénération possible, personnelle et artistique. Ses attentes étaient influencées par la littérature (les descriptions de Loti), mais aussi par son imaginaire et ses dernières expériences artistiques bretonnes – sorte d'avant-goût d'archaïsme et d'exotisme dans le traitement de thématiques d'inspiration religieuse – ainsi que par ses élans idéalistes et spiritualistes, renforcés par ses amitiés littéraires symbolistes. Il y avait aussi l'aspect pratique : l'espoir d'échapper à ses éternels problèmes d'argent et le besoin de trouver des motifs absolument inédits, qui feraient à Paris l'effet d'une bombe. Le peintre de formation impressionniste, le symboliste, l'homme curieux de religions anciennes et d'art primitif, entrent ainsi simultanément en jeu.

◆ Cette photographie prise à Paris en 1891, restitue le Gauguin décrit par ses contemporains : dans « toute la force de l'âge », les cheveux bruns et plutôt longs, « une légère barbe en fer à cheval et une moustache courte », sans oublier « un aspect grave et imposant, un maintien calme et réfléchi qui devenait parfois ironique en présence des philistins et une grande vigueur musculaire » (Mothéré cité par Chassé, 1955).

d'Émile Bernard qui suivait depuis un moment le travail de Gauguin et de ses disciples, va ainsi formuler les principes de cet art moderne, sanctionnant officiellement la fin du naturalisme mimétique. Ce sera un art « idéiste » – parce qu'il traduit l'Idée au moyen de « signes », équivalents plastiques de l'objet – et il sera nécessairement symboliste, synthétique, subjectif et décoratif. Bref, un art tel que le concevaient les Anciens : les Égyptiens et « très probablement les Grecs et les Primitifs ».

Mais, en réalité, le symbolisme de Gauguin échappait aux règles, et lui-même était réfractaire à toute définition de nouveaux dogmes qui se seraient opposés à ce qu'il estimait être l'une des principales conquêtes artistiques, la liberté. Il se sentait du reste plus proche des écrivains que des artistes qui se rangeaient, comme les nabis ou les Rose Croix, sous la bannière idéaliste. Son individualisme sceptique ne pouvait s'accommoder d'un symbolisme pris comme parole d'évangile. « Qu'ils m'embêtent ces cymbalistes ! » répétait-il volontiers, avec son goût prononcé pour le calembour, tout en inscrivant l'ordre « Soyez symboliste » au-dessus du portrait caricatural du poète Moréas qu'il

◆ Paul Gauguin, Buste de jeune fille et renard (Étude pour la perte du pucelage), vers 1890-1891 ; fusain et craie blanche ; 31,5 x 33 cm ; collection particulière. Ce pastel pour lequel posa Juliette Huet, alors maîtresse de l'artiste, appartint à Octave Mirbeau, qui avait écrit un article très favorable sur Gauguin dans L'Écho de Paris.

publia dans La Plume en janvier 1891. Son symbolisme était hors norme. Et même s'il pouvait se montrer un peu lourd, comme dans cette sorte de manifeste adressé à ses amis écrivains dans un des derniers tableaux qu'il peignit avant son départ, La perte du pucelage, il ne constituait pas plus une recette qu'une règle à ne pas transgresser. Il coexistait en effet avec un goût persistant pour l'impressionnisme, une prédilection pour ce texte sacré de l'art moderne qu'était l'Olympia de Manet, et une grande admiration pour Cézanne, le maître de la peinture pure, à qui il rend alors hommage dans un portrait féminin sur fond de la nature morte Compotier, verre et pommes, tableau fétiche de sa collection. Autant de choses qui sont en lui et qu'il emportera à Tahiti.

Une question préliminaire, celle de la relation entre réalité et expression artistique, se pose à qui veut comprendre et évaluer ce premier séjour à Tahiti. Gauguin est lent à s'adapter aux nouveaux endroits. Il a besoin de temps pour s'installer, observer les lieux, s'en imprégner peu à peu, avant de pouvoir les restituer dans ses œuvres à travers la médiation de son imaginaire. Sa déception à son arrivée à Papeete, en juin 1891, devant l'état d'occidentalisation avancée de la capitale de l'île, la disparition de la culture locale et l'absence de traces d'ancien art maori, est compensée par une foule de stimulations visuelles et sensorielles nouvelles. Cela ressort

◆ Rade et port de Papeete. Le canal de Suez, les Seychelles, l'Australie et enfin Nouméa, en Nouvelle-Calédonie, sont les étapes du voyage de plus de deux mois qui mènera Gauguin jusqu'à la capitale de l'île de Tahiti, début juin 1891.

◆ Paul Gauguin, Soyez symboliste, 1891. Il s'agit d'un portrait caricatural de l'écrivain et poète Jean Moréas (1856-1910). Avec son manifeste de 1886, ce dernier avait marqué l'avènement du symbolisme littéraire, en formulant ses principes : donner à l'Idée une forme sensible, sans toutefois chercher à la saisir en soi, et ne faire de l'objet qu'un simple point de départ.

bien d'une lettre à sa femme où il mentionne les funérailles du dernier roi Pomaré, signe de la fin d'une civilisation, et évoque la musique, les chants, les danses, et puis les silences, la surprenante immobilité des indigènes. Ses quelques portraits de commande d'Européens, occasion de se rapprocher de notables susceptibles de l'initier aux coutumes, à la langue et aux habitudes locales, et ses premiers essais de bois taillés, disparus depuis, ne constituent pas à proprement parler le début de son travail sur des motifs nouveaux. Il ne pourra l'entreprendre qu'après avoir trouvé un lieu de résidence adéquat : loin de la capitale, à Mataiea, un village du sud de l'île, dans une case indigène, auprès d'une vahiné, la jeune Teha'amana. Les documents disponibles pour reconstituer sa vie pendant ces deux ans à Tahiti sont assez maigres. S'il a tenu à fournir à ses futurs biographes une trace littéraire de son séjour, *Noa Noa*, il s'est montré plutôt avare de nouvelles au jour le jour, se bornant, dans ses lettres à Mette et à ses amis, à des informations pratiques sur son état de santé, ses difficultés matérielles, parfois ses œuvres en cours. Aucune mention de Teha'amana, qui resta pourtant plus d'un an à ses côtés, lui servit de modèle, s'est retrouvée enceinte de lui et fut la protagoniste du dernier tableau qu'il peignit avant de regagner la France, *Teha'amana a de nombreux parents*.

Gauguin rédigea sa première version de *Noa Noa* à son retour à Paris, dans l'intention d'expliquer les sujets de ses tableaux tahitiens à la critique et au public. Hybride de récit autobiographique romancé et de journal, à mi-chemin entre le *Journal* de Delacroix et *Le Mariage de Loti*, ce texte fut ensuite confié à Morice pour des aménagements littéraires, mais sa publication intégrale sous la forme remaniée par l'écrivain dut attendre 1901, ce qui, commentera Gauguin, la rendait « tout à fait hors de saison ». Son objectif était moins la vérité documentaire que la transfiguration des faits pour souligner le motif central de l'itinéraire de l'artiste : la transmutation de l'homme civilisé en sauvage. Les tableaux se font eux-mêmes histoire et récit (*Manao tupapau*, *Pape moe*, *L'homme à la hache*), et leurs modèles se transforment en personnages de fiction, comme Teha'amana précisément (rebaptisée Tehura dans les versions

♦ Paul Gauguin, Études de têtes de Tahitiens, *vers 1892; fusain et aquarelle; musée du Louvre, Paris. Il s'agit d'un des nombreux croquis* exécutés par l'artiste à son arrivée à Tahiti pour s'imprégner de la physionomie des indigènes et capter ce qu'il trouvait en eux d'énigmatique.

ultérieures de *Noa Noa*), en qui se mêlent des traits de Rarahu, l'héroïne tahitienne du livre de Loti, ainsi que d'autres modèles et amies exotiques de Gauguin.

Seuls les travaux de recoupement des historiens de l'art ont permis une connaissance satisfaisante de ces mois très productifs, avec plus de soixante-dix peintures et sculptures majeures. Gauguin a commencé par des études de Tahitiennes : des dessins très poussés, d'une grande pureté, visant à lui permettre de bien se pénétrer des traits, du caractère et de la beauté particulière de la femme maorie. Ce seront ses « documents » qu'il utilisera plus tard pour ses tableaux. Au printemps 1892, il peut enfin affirmer s'être réellement imprégné de l'atmosphère de l'île, et peindre de vrais Maoris au lieu d'Orientaux stéréotypés comme on en faisait alors aux Batignolles, même s'il avoue les représenter « d'une façon très énigmatique ». De splendides portraits comme *La femme à la fleur*, *La femme*

♦ Paul Gauguin, Tête d'une jeune Tahitienne avec un second personnage de profil sur sa droite, *1891 ou 1892; fusain sur papier; 59 x 44 cm; collection particulière. Nombre des dessins tahitiens* de Gauguin – qu'il appelait ses « documents » – représentent sa vahiné Teha'amana. L'absence de pupilles donne ici au visage une allure de masque; l'autre personnage est à peine esquissé.

au mango, *La femme à la robe rouge*, traduisent les silences, l'inertie, la sensualité des Tahitiennes, avec tout le mystère que l'artiste leur prête, et qui est accru par l'emploi de titres en maori. « Cette langue est bizarre et donne plusieurs sens », écrit-il du reste à sa femme.

Qu'il s'agisse de portraits, de scènes avec figures, en intérieur ou en plein air, de paysages, ses tableaux tahitiens reflètent un mode de conception différent et de nouveaux acquis. Ils témoignent notamment d'une volonté d'instaurer un dialogue avec l'univers figuratif que l'artiste a laissé derrière lui. « J'emporte [...] tout un petit monde de camarades qui me causeront tous les jours », avait-il assuré à Redon avant son départ. Il s'agissait de photographies, de dessins et de reproductions d'œuvres d'art contemporaines et anciennes qu'il aimait : fragments des reliefs de Borobudur, peintures égyptiennes, tableaux de Manet, de Degas, de Puvis de Chavannes et d'autres. À partir de ces sources, il opère fréquemment des transpositions libres de gestes et d'attitudes : une aide pour représenter une réalité qu'il ne possède pas encore tout à fait, mais aussi le signe d'un lien affectif, et l'affirmation de la valeur atemporelle de l'art. Les exemples de ce procédé sont nombreux dans son œuvre; il ne l'abandonnera plus, et en fera même une partie intégrante de son langage au cours de sa seconde période tahitienne.

Peu à peu, il acquiert un nouveau sens de la couleur, qui a ses racines dans sa conception imaginaire et symbolique de la coloration, mais provient aussi de l'éblouissante lumière tropicale. Ses tons s'intensifient, gagnent en luminosité et en éclat, et dans ses paysages ou ses tableaux avec figures au premier plan (*Eh quoi! tu es jalouse?*

ou encore *Quand te maries-tu?*), des teintes fabuleuses accentuent encore l'aspect décoratif de la composition.

Divinités et mythes polynésiens

Pendant ses premiers mois à Tahiti, Gauguin peint *Ia orana Maria*, un tableau conçu comme un retable, mélange d'Annonciation, de Nativité et d'Adoration de Jésus à la tahitienne, assez proche de sa crucifixion et de ses calvaires bretons. Son penchant pour le sacré, pour une forme de religion universelle et syncrétiste où tous les grands événements, toutes les grandes figures mythiques, revêtiraient une signification universelle, devait nécessairement le conduire à une appropriation des formes de culte polynésiennes : c'était aussi cela qu'il était venu chercher à Tahiti. Il aurait voulu en trouver des témoignages dans l'art, dans des représentations d'antiques divinités, mais elles avaient disparu. Seuls subsistaient des récits

♦ Lettre du 11 mars 1892 à Daniel de Monfreid, *avec un croquis de la* orana Maria. *C'est la première lettre de Tahiti dans laquelle Gauguin fait* allusion à une toile en cours. Le dessin révèle un changement de format : d'horizontal, celui-ci est devenu vertical dans le tableau final.

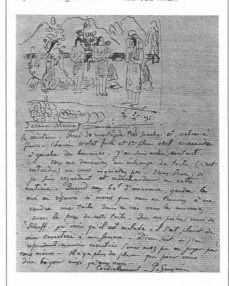

autour des principaux dieux et mythes, dont il s'inspira pour construire son propre répertoire d'images, une sorte de « panthéon maori » personnel. Sa principale source fut le *Voyage aux îles du Grand Océan* de Jacques-Antoine Moerenhout, rédigé en 1837 à partir de témoignages oraux. Gauguin se l'est fait prêter par un colon de Papeete, et en a retranscri des passages significatifs dans son manuscrit *Ancien culte mahorie*. Le livre de Moerenhout regorgeait d'informations sur les coutumes, la langue et l'organisation sociale des Polynésiens, mais Gauguin s'est surtout intéressé aux chapitres

25

26

qui traitaient de leur religion d'origine. Il y était question d'une forme abstraite de culte de la nature, proche de celui d'autres peuples anciens, fondé sur des mythes mettant en jeu l'esprit masculin, la matière féminine et l'âme universelle à travers trois grandes divinités : Taaroa, le dieu suprême et créateur, la déesse Hina, liée à la lune, et Fatou, le génie qui avait animé la terre, issu de l'union des deux précédents. Le dialogue entre Hina et Fatou sur la vie, la mort et la résurrection, la vaine supplique de Hina pour que Fatou accorde à l'homme une renaissance après la mort, sa promesse de faire revivre au moins la lune, qui dépendait d'elle, étaient à la base des cultes locaux. Gauguin était parti pour l'Océanie

◆ *Une des illustrations d'Ancien culte mahorie. Pour ce manuscrit, commencé vers 1892 et qui servira de point de départ à Noa Noa, Gauguin a largement puisé dans les informations sur les anciennes divinités océaniennes fournies par le Voyage aux îles du Grand Océan de Jacques Antoine Moerenhout, en recopiant des passages entiers.*

résolu à poursuivre ses essais de sculpture sur bois, et il semble qu'il s'y soit consacré dès son arrivée, façonnant quelques « dieux sauvages » en bois tendre dont il n'est rien resté. Ce n'est qu'à partir du printemps 1892, sous la vive impression de la lecture de l'ouvrage de Moerenhout, qu'il commence à tailler dans un bois plus dur des figures cylindriques, mi-magiques mi-symboliques, représentant les trois divinités majeures : l'*Idole à la perle*, l'*Idole à la coquille*, et *Hina et Fatou*. Hybrides d'un primitivisme poussé, figures bizarres « ultra-sauvages », elles s'inspirent d'images de personnages de la mythologie indienne (Bouddha

◆ *Paul Gauguin, Musique barbare, 1891-1893 ; aquarelle sur soie ; 12 x 21 cm ; collection particulière. Le titre de cette aquarelle, proche des xylographies de l'artiste et de ses illustrations d'Ancien culte mahorie, renvoie aux tableaux* Poèmes barbares *et* Contes barbares. *Il évoque la puissante harmonie qui se dégage des mystérieuses divinités océaniennes et peut-être plus encore de la couleur.*

et Çiva notamment), de *tikis* (des statuettes dans lesquelles les Maoris croyaient que résidaient des esprits) et de motifs de tatouages marquisiens. Or ce sont ces effigies de son invention qu'il va introduire dans ses tableaux, avec une prédilection pour Hina, chaque fois qu'il souhaitera évoquer les anciennes croyances ou suggérer une atmosphère sacrée et des rituels antiques.

Son intention n'est toutefois nullement d'illustrer des mythes ou des récits. Il ne s'est référé qu'une fois explicitement à l'histoire des origines de la secte des Aréois et, quand il évoque d'anciens rites barbares, qui n'ont sans doute jamais existé (*Là est le temple*), il laisse toujours sa fantai-

◆ *Paul Gauguin, Le dieu Taaroa et une de ses épouses, 1892-1893 ; 21,5 x 17 cm. Cette aquarelle, la première d'Ancien culte mahorie, représente le dieu suprême Taaroa, créateur de l'univers, auprès d'une des femmes avec lesquelles il engendra les autres divinités et les éléments.*

sie de coloriste l'emporter sur les images de sombres divinités. Ce qui l'intéresse, c'est ce point de vue syncrétiste qui transparaît dans son *Ève tahitienne* tentée par un lézard de *Terre délicieuse*, et les survivances de la mentalité primitive repérables à travers d'antiques croyances, superstitions et craintes étrangères au rationalisme moderne. La peur des *tupapau* (revenants), encore vive chez les indigènes, s'incarne sur ses toiles dans des figures négatives obsédantes comme le *varua ino*, esprit malin parfois représenté sous les traits d'une petite bonne femme à capuchon noir et au regard phosphorescent. Mais ce sont surtout les couleurs arbitraires, les lignes, les feuilles de pandanus longues et ondulées, semblables, assure-t-il, aux signes d'une langue oubliée, qui suggèrent l'angoisse, comme dans *Paroles du diable*, image d'une sorte d'Ève après le péché. Un certain mystère se glisse aussi dans divers paysages où interviennent des éléments autobiographiques : la case de l'artiste adossée à la montagne, face à la mer, avec son grand manguier, ou bien l'homme à la hache qui abat un arbre, symbole de la mort du moi civilisé.

La peur des esprits des morts qui reviennent est le sujet du principal tableau de ce séjour tahitien, *Manao tupapau*, l'œuvre qui exprime de la façon la plus achevée la poétique symboliste de l'artiste, littéraire et musicale, fondée sur des équivalences entre lignes, couleurs et états d'âme (tons bas, harmonies sombre et triste...). Gauguin n'y renie pas pour autant sa formation impressionniste à la peinture pure, proclamant son intention de faire une simple « étude de nu

◆ *On a souvent vu en cette photographie (1894) un portrait de Teha'amana, la « vahiné » de treize ans qui posa pour les plus beaux tableaux du premier séjour de l'artiste à Tahiti. Il avait collé cette image dans le manuscrit de Noa Noa, dont les personnages sont très romanesques.*

océanien », où une Teha'amana terrifiée par des phosphorescences nocturnes rivalise avec l'*Olympia* de Manet.

Pourquoi l'artiste s'est-il efforcé, dès l'été 1892, de se faire rapatrier, alors que son travail avançait de façon satisfaisante et qu'il envisageait de faire un crochet par les Marquises ? À cause de difficultés matérielles et financières, sans doute et de moments de découragement. Mais, au bout du compte, sa décision de repartir découle avant tout de la conviction d'avoir accompli la tâche qu'il s'était fixée et du désir d'en vérifier les résultats. *Noa Noa* se referme sur l'image d'une Teha'amana inconsolable sur le quai et sur l'éclosion d'un homme nouveau : « la civilisation s'en va petit à petit de moi et je commence à penser simplement [...]. Je partis avec deux années de plus – rajeuni de vingt ans, plus barbare aussi et cependant plus instruit. » Le vrai fil d'Ariane de ce séjour reste toutefois l'union entre la tradition figurative occidentale et l'univers polynésien, et le dernier portrait de Teha'amana ne dit pas autre chose.

Le retour en France

Gauguin arrive en France à la fin août 1893, bien décidé à imposer sa nouvelle identité et ses œuvres tahitiennes. Il avait déjà envoyé quelques tableaux en Europe mais, à présent, il a besoin d'une exposition importante, qui aura lieu chez Durand-Ruel, pour toucher le public et la critique. Il lui faut aussi une sorte de texte explicatif (ce sera *Noa Noa*) et une mise en scène qui reproduise le contexte de création de ses œuvres, un « atelier des mers du Sud ». Telle sera donc la fonction de l'atelier qu'il aménage rue Vercingétorix, avec l'argent du providentiel héritage de son oncle d'Orléans : murs peints en jaune de chrome, fenêtres ornées de la provocante inscription *Te faruru* (« Faire l'amour »), meubles et objets exotiques et, outre ses propres créations, ce qui restait de sa précieuse collection d'œuvres d'art, ainsi que des reproductions de tableaux de ses artistes préférés.

Le jeudi, dans cette sorte d'installation combinant toutes les formes d'art, il réunit ses amis, leur raconte ses voyages, joue avec eux de la musique. Sa nouvelle compagne est une jeune Cinghalaise surnommée Annah la Javanaise, une ex-camériste reconvertie en modèle, qui s'habille de manière voyante et se promène partout avec une guenon apprivoisée. L'artiste joue quant à lui au personnage excentrique, semblable, dans le souvenir du peintre Armand Seguin, à « un Magyar somptueux et gigantesque, un Rembrandt de 1635 ». C'est le Gauguin qu'on voit dans l'*Autoportrait à la palette*, reprise d'une photographie légèrement antérieure,

◆ *Cette photographie regroupe quelques invités des soirées que Gauguin organisait début 1894 dans son atelier de la rue Vercingétorix. On reconnaît au centre le violoniste Schneklud, à côté de lui le musicien Larrivel et, derrière, Sérusier, Annah et le sculpteur Georges Lacombe.*

où il avait les cheveux moins longs : l'air calme, sûr de lui, coiffé d'une toque étroite qui lui donne l'air d'un mage ; il s'y détache sur un fond écarlate rappelant *La vision après le sermon* et exhibe sur sa palette ses couleurs favorites – jaune, rouge, rose. Mais c'est aussi le Gauguin de l'*Autoportrait au chapeau* devant son chef-d'œuvre tahitien, *Manao tupapau*.

On pourrait du reste croire que, pendant ces mois en France avant son nouveau départ pour les îles, le personnage prend le pas sur l'artiste, car Gauguin peint de manière épisodique et, dans l'ensemble, peu productive. Ceci est notamment dû à l'échec de son voyage en Bretagne, de mai à novembre 1894. Il espérait s'y remettre à la peinture dans un cadre tranquille et surtout, récupérer ses œuvres restées chez Marie Henry. Or, il va perdre le procès intenté à l'aubergiste, et l'aventure est encore assombrie par un incident à Concarneau : une rixe avec des marins à cause d'Annah, qui lui vaut une fracture au ras de la cheville et une longue période d'immobilité forcée, un grave préjudice physique dont il ne se remettra jamais vraiment. Mais, au-delà de ces difficultés, c'est sa façon de travailler qui change. Sa sensibilité se rapproche de plus en plus de celle des écrivains symbolistes, sa passion pour les formes artistiques primitives se

◆ *C'est le marchand d'art Ambroise Vollard qui aurait présenté à Gauguin Annah la Javanaise (ici photographiée par Mucha), une jeune Cinghalaise qui avait été femme de chambre avant de devenir modèle. Elle fut la compagne du peintre de décembre 1893 à l'automne 1894 et posa pour le splendide portrait qui la montre nue sur un fauteuil avec sa guenon Taoa.*

concentre désormais sur les arts graphiques, et son nouvel intérêt pour l'écriture l'incite à un approfondissement du rapport entre texte et image. Il renoue avec ses amis écrivains Morice, Mallarmé, Leclercq, en rencontre de nouveaux, comme Jarry et Strindberg, se lie à des musiciens d'avant-garde et aussi à de jeunes artistes peu connus, qui voient en lui un maître. Ces fréquentations se reflètent dans ses rares tableaux de l'époque : les portraits de William Molard, du violoncelliste Schneklud, d'Annah. Dans ceux-ci, comme dans ses quelques scènes tahitiennes exécutées ou achevées de mémoire, revient obstinément une connotation d'exotisme ; en témoignent leur titre, leurs couleurs chaudes, leurs décors. On n'y trouve aucune distinction de lieu ou de temps. *La jeune chrétienne* prie ainsi devant Pont-Aven, dans l'attitude des saintes et des dévotes des tableaux flamands, et porte une splendide robe jaune, de la même coupe que celle de la Tahitienne Teha'amana dans son dernier portrait.

◆ *Paul Gauguin photographié dans son atelier en hiver 1893-1894, devant son tableau Te Faaturuma. L'artiste jugeait cette œuvre particulièrement significative, car elle abordait le thème de la mélancolie des Maoris et rappelait, par son organisation spatiale, les œuvres de Degas qu'il aimait tant.*

Les arts graphiques, que Gauguin n'avait jusqu'alors explorés que sporadiquement, deviennent pour lui un fertile champ d'expérimentation et d'innovation, avec divers procédés de dessin-impression. Les dix gravures sur bois qu'il réalise entre décembre 1893 et mars 1894, en vue d'une édition illustrée de *Noa Noa*, ouvrent dans son art un chapitre nouveau qui connaîtra, vers la fin de sa vie, des

Celles-ci constituent de précieux intermédiaires, compte tenu de la dimension imaginaire et très personnelle de son art, entre ses peintures et ses sculptures.

C'est au demeurant une sculpture, son ultime céramique faite en collaboration avec Chaplet, qui va être la dépositaire des aspects barbares de sa personnalité et marquer son adieu à la civilisation européenne : *Oviri* (« Sauvage »), titre

◆ *Illustration pour la première version de Noa Noa ; 35,7 x 20,4 cm. Cette gravure sur bois fait partie d'une série de dix réalisées à Paris pendant l'hiver 1893-1894 autour du manuscrit, rédigé sous forme de journal de voyage, dont elle reprend le titre. Ce dernier signifie « odorant » ou « la parfumée ».*

28

◆ *Versions en plâtre peint (collection Phillips) et en bronze (musée d'Orsay) du Masque de sauvage, 1894-1895 ; 25 x 19,5 cm. Les thèmes du masque et de la tête coupée fascinent le Gauguin symboliste. Dénuée de signification rituelle, cette œuvre reprend cependant les traits de Fatou dans la toile Hina Tefatou (« la Lune et la Terre ») de 1893.*

◆ *Paul Gauguin, Autoportrait « Oviri », 1894-1895 ; 35,5 x 34 cm. Dans cet autoportrait modelé à Paris (initialement en plâtre, mais seules des répliques en bronze subsistent), Gauguin associe pour la première fois sa propre image au terme « Oviri » : sauvage. La fleur de tiaré fait allusion à l'aspect sensuel de sa personnalité.*

également repris pour un autoportrait de profil de la même époque. Il s'agit d'une figure monstrueuse, au sens que Jarry donnait au terme de « monstre » : toute forme de beauté originale et inépuisable. Gauguin l'a créée à partir de figures de ses tableaux tahitiens et de l'impression qu'il avait éprouvée à la vue de divers objets rituels. Cette femme terrible aux yeux saillants, qui serre un chiot contre son flanc tandis qu'un animal ensanglanté gît à ses pieds, est à la fois celle qui tue et celle qui donne la vie. Incarnation de mort et de renaissance, elle symbolise la transformation de l'artiste, l'anéantissement en lui du civilisé pour laisser place au sauvage.

L'échec relatif de l'exposition chez Durand-Ruel et les nouvelles difficultés matérielles qui s'ensuivent, l'incident de Concarneau et l'incompréhension témoignée à ses œuvres, renforcent chez Gauguin le sentiment de sa différence, son rejet de la civilisation et sa conviction d'une fonction régénératrice de la barbarie. Le monde imaginaire qu'il a représenté dans *Terre délicieuse*, toile qui scandalise et déconcerte les critiques parisiens, n'est encore qu'un paradis à peine esquissé : peut-être

Le numéro bi-mensuel
UN FRANC
6e année
15 Octobre 1897
TOME XIV. — N° 105

La revue blanche

Paul Gauguin et Ch. Morice
Léon Winiarski
Jean Roanne
Stendhal
Eugène Morel
Léon Blum
Jean Goétary.

Yen Yen.
Montluel (Kant sur le génie).
Jud et Zig.
Barrhas (Pierre Daru).
Terre Promise, roman.
La Quinzaine artistique.
Les Livres.
Chronique de l'Histoire.

PARIS
ÉDITIONS DE LA REVUE BLANCHE
1, RUE LAFFITTE, 1
1897

◆ *En 1897, une première partie de Noa Noa parut dans La Revue blanche. Ce périodique, dirigé par Thadée Natanson, un amateur raffiné d'art moderne qui rédigera le compte rendu de l'exposition de Gauguin chez Vollard en 1898, était alors un des principaux organes de la littérature et de l'art symbolistes. Référence pour les nabis, qui dessinèrent plusieurs de ses affiches, il publia des écrits de Strindberg et fit connaître à Paris les œuvres de Munch.*

développements importants avec d'autres xylographies et de grands monotypes.

Gauguin aurait été un précurseur en matière de livres d'artiste si ses manuscrits illustrés avaient pu être publiés, mais ceux-ci étaient trop en avance sur les usages et les possibilités de l'édition de son temps. Il n'en fut pas moins un immense graveur sur bois. On reconnaissait alors à la xylographie une qualité originelle, y voyant le point de départ des autres modes d'expression graphique, à l'instar du bois pour la sculpture, et la revue d'art *L'Ymagier* publiait de nombreuses estampes populaires de provenances diverses. Avec une technique qui reprend celle de la xylographie japonaise *ishizuri-e*, Gauguin fait émerger ses formes d'un fond noir pour obtenir avec les blancs des effets de lumière et des phosphorescences. Il transpose ainsi librement des motifs de ses tableaux tahitiens dans une mystérieuse atmosphère nocturne, aboutissant à des images expérimentales d'un primitivisme radical.

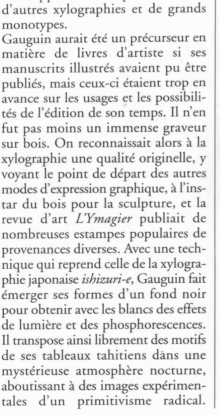

pourrait-il le développer encore davantage ? « [...] De l'ébauche à la réalisation du rêve il y a loin. Qu'importe ! Entrevoir un bonheur, n'est-ce pas un avant-goût du *nirvana* ? » écrit-il ainsi à Strindberg, qui vient de lui refuser une préface pour le catalogue de la vente destinée à financer son départ. Homme du Nord, le Suédois a en effet bien du mal à comprendre les outrances de cet art solaire et la violence de la réaction de Gauguin à ce malaise vis-à-vis de la civilisation dont lui-même, comme tant d'autres artistes et écrivains, n'est pourtant pas exempt.

Les dernières années

La production des huit dernières années de Gauguin, à Tahiti puis à Hiva Oa, dans les Marquises, fut très riche, avec cette même diversité et cette même inventivité dénuée de systématisme dont il avait donné un avant-goût lors de son ultime séjour en France. Des chefs-d'œuvre de peinture, certes, à commencer par la grande toile qu'on peut considérer comme son testament spirituel, *D'où venons-nous? Que sommes-nous? Où allons-nous?*, mais aussi de nombreuses expériences graphiques, des manuscrits sur la religion, l'art, la morale, des textes autobiographiques, et une intense activité de journalisme pamphlétaire. Un bilan vraiment surprenant, compte tenu de sa santé chancelante, qui nécessita des hospitalisations fréquentes, de ses gros problèmes d'argent, de plusieurs changements de résidence, du chagrin causé par le décès de sa fille Aline et de nombreuses crises de dépression. Tout ceci est attesté par ses lettres, qui renvoient l'image d'un homme très éprouvé mais plein d'ardeur créatrice, animé par une sorte de besoin de faire le point et de transmettre, par des moyens autres que la peinture, ses idées et ses réflexions sur la vie, sur l'art et sur lui-même : « j'étudie avec le cerveau », écrit-il parfois à ses amis, quand il se trouve dans l'impossibilité matérielle de peindre.

Un des premiers tableaux réalisés à son retour à Tahiti, l'autoportrait qu'il a intitulé *Près du Golgotha,* est une image déchirante, intime, fortement symbolique. À des milliers de kilomètres de l'Europe, il persiste encore à se faire l'interprète des tendances dominantes de l'art idéaliste et du spiritualisme de la fin du siècle, associant à la quête d'un tronc commun à tous les mythes et religions la recherche de formes classiques, et s'inscrivant dans cette grande renaissance de l'art décoratif qui porte en soi le concept d'œuvre d'art totale. Déçu par Papeete, qu'il trouve encore gâtée par les progrès de la civilisation, il se réfugie sur la côte ouest de l'île, à

◆ *La maison-atelier de Gauguin en 1897. Pendant le printemps et l'été de cette année-là, l'artiste se fait construire une nouvelle résidence sur un terrain qu'il vient d'acheter à Punaauia. Il s'agissait d'une immense case en bois ornée de panneaux sculptés.*

◆ *Couverture du Cahier pour Aline, le manuscrit que Gauguin a dédié à son enfant préférée. Il contient une série d'illustrations et d'écrits délibérément disparates, dont le texte « Genèse d'un tableau ». Commencé à Tahiti début 1893, il sera achevé au retour de l'artiste à Paris, à un moment où celui-ci songe à publier des livres illustrés.*

l'hôpital, mais qui compte quantité d'œuvres révélatrices des nouvelles orientations de sa peinture.

Le rêve du peintre

À ceux qui lui reprochaient, à Paris, d'avoir présenté dans ses tableaux un monde qui n'existait pas, Gauguin a expliqué qu'il avait voulu donner un équivalent de la grandeur, de la profondeur et du mystère de Tahiti à travers des couleurs fabuleuses pour rendre l'atmosphère brûlante, étouffée et silencieuse qu'on y trouvait vraiment. Ses dernières œuvres poussent encore plus loin ce mode d'expression par équivalences. L'univers tahitien, sa nature et ses habitants y perdent tout caractère de référence à une dimension ethnographique précise; ils deviennent le décor et les protagonistes d'événements intemporels, se prêtant à des interprétations variées. Ses compositions se font monumentales, même sur des formats assez réduits. Des figures en pose les dominent, harmonieusement regroupées et rattachées à leur environnement – paysage ou intérieur de case – suivant des procédés qui remontent à des formes d'art classiques. Le chromatisme est plus homogène, orchestré sur des tons récurrents, d'une « sonorité grave ». La transposition dans un cadre tahitien d'événements fondateurs du christianisme, comme cette *Nativité* suggérée par la naissance du premier enfant de Pahura, correspond à la conception syncrétiste que Gauguin a de la religion. Son symbolisme s'affine, gagne en subtilité : délaissant les références ostentatoires à des figures mythiques, il repose davantage sur la coloration, premier moyen dont dispose le peintre pour rendre une atmosphère, le caractère d'une scène. C'est à elle qu'on doit les résonances mys-

térieuses du tableau *Le rêve,* dont la véritable signification semble pouvoir se ramener au « rêve du peintre », la couleur. Dans *Nevermore*, ce sont les teintes sombres et tristes, et non les objets, qui recréent l'atmosphère oppressante du poème de Poe avec sa répétition obsédante du mot *nevermore*, « plus jamais », et un magnifique nu à peine effleuré par la lumière y rivalise de nouveau avec l'*Olympia*. Dans les *Baigneuses*, les sublimes accords de couleurs pures évoquent vraiment un rêve, le bonheur tant cherché, en opposition criante avec la suite d'événements

◆ *Dans une lettre de 1896 à Daniel de Monfreid, Gauguin joint un croquis aquarellé à une description de Te arii vahine : « une reine nue couchée sur un tapis vert, une servante cueille des fruits, deux vieillards, près du gros arbre, discutent sur l'arbre de la science [...] ».*

Punaauia. Là, il s'installe dans une case indigène, qui lui servira de maison et d'atelier, et prend une nouvelle vahiné, Pahura, d'environ quatorze ans – sensiblement le même âge que Teha'amana et Annah. Commence alors pour lui, au printemps 1896, une période de travail discontinue, entrecoupée de diverses indispositions et de séjours à

◆ *Cet autoportrait au crayon de 1896, à peine esquissé, est un des derniers de l'artiste. Trouvé dans ses affaires après sa mort, il reflète la solitude et l'amertume. Le geste enfantin du pouce dans la bouche – comme sur le vase-autoportrait en forme de tête de grotesque ou dans Soyez amoureuses, vous serez heureuses – évoque sa part « sensitive ».*

30

douloureux de cette année 1897, qui culminèrent avec la mort de la fille de l'artiste. Ce drame le plongera dans un tel état de prostration qu'il semble avoir tenté un suicide à l'arsenic, fin décembre. C'est à cet épisode qu'il a toujours associé la genèse de *D'où venons-nous ? Que sommes-nous ? Où allons-nous ?* : une œuvre « peinte d'un seul jet », dans un état de désespoir, « sans aucune préparation et étude préalable », sans souci de fini, et sans même songer aux grandes compositions de Puvis de Chavannes. Et même si cette grande toile fit en réalité l'objet d'au moins une étude préparatoire, même s'il y travailla pendant plusieurs mois, en 1898, avant de l'expédier à Paris, en proie à des doutes et des hésitations qui portaient, précisément, sur cette imperfection qu'il jugeait pourtant nécessaire, Gauguin ne trichait pas vraiment avec la vérité : cette œuvre était bien née d'un jet dans son esprit, aboutie dans cet inachèvement apparent qu'elle devait conserver. « Où commence l'exécution d'un tableau, où finit-elle ? écrit-il ainsi à son ami Monfreid. Au moment où des sentiments extrêmes sont en fusion au plus profond de l'être, au moment où ils éclatent, et que toute la pensée sort comme la lave d'un volcan […] ? Les

♦ *Aline, la fille de l'artiste, sur une photographie prise vers 1895. « Sa tombe est ici tout près de moi ; mes larmes sont des fleurs vivantes », écrit Gauguin, prostré de douleur, à Mette qui lui a communiqué, par une courte lettre tardive et brutale, la nouvelle de la mort d'Aline à l'âge de dix-neuf ans, en janvier 1897, des suites d'une pneumonie.*

♦ *En février 1898, Gauguin envoie à Monfreid un premier croquis de sa grande toile* D'où venons-nous ? Que sommes-nous ? Où allons-nous ? *La composition, les figures et l'atmosphère sont déjà celles du tableau, auquel il travaillera encore plusieurs mois bien qu'il l'ait daté de 1897. L'œuvre n'en conserve pas moins un aspect inachevé, destiné à laisser à la couleur un rôle suggestif dominant.*

froids calculs de la raison n'ont pas présidé à cette éclosion, mais qui sait quand au fond de l'être l'œuvre a été commencée ? Inconsciente peut-être. »

Cette longue frise de personnages, tirés pour la plupart de tableaux antérieurs, dans un cadre naturel générique, part d'une réflexion philosophique développée dans un de ses manuscrits de la même époque, *L'Église catholique et les temps modernes* : la vie commence et s'achève, l'humanité la traverse dans l'inconscience, tout se déroule suivant les rythmes et les flux naturels, sans que les vaines paroles ou les interrogations des deux personnages vêtus comme d'anciens philosophes, étrangers au contexte tahitien, y puissent rien changer. Les questions du titre sur le sens et la destinée de l'humanité sont d'inspiration littéraire, mais cette méditation philosophique ne se veut nullement didactique. Loin de vouloir restituer un lieu précis, le décor indéfini matérialise plutôt un sens musical de la couleur. Du reste, Gauguin avait alors rédigé un texte théorique sur la coloration et aurait voulu le faire diffuser à Paris pour faciliter la compréhension de ce tableau et des œuvres qui lui étaient associées : diverses répliques ou variantes de certains détails, destinées à être exposées avec lui dans la galerie Vollard pour composer une sorte d'œuvre d'art totale, reposant sur le symbolisme de la couleur. Ce texte a été perdu, mais des fragments de lettres de l'artiste et de son manuscrit *Diverses choses* donnent une idée précise de sa façon d'envisager la couleur comme une résonance intérieure correspondant, à l'instar des notes de musique, à des états d'âme.

Dans ses plus belles toiles de 1898-1899 (*Le cheval blanc, Femmes au bord de la mer, Les seins aux fleurs rouges*), Gauguin parvient, avec une simplicité apparente, à un symbolisme suggestif, et donc énigmatique. Comme jadis Poussin et d'autres grands maîtres, il travaille en solitaire, dialoguant avec les œuvres du passé à travers des transpositions libres de figures. Sa prédilection de toujours pour l'art de Raphaël, de Poussin, d'Ingres, s'affiche dans l'ordre classique de ses composi-

tions, bâties sur des rythmes linéaires calmes, où les gestes font écho aux formes suivant des principes de sobriété, de mesure, d'équilibre, de monumentalité. En ce sens, on peut bien parler de classicisme à propos de ses dernières toiles.

Les résultats décevants de l'exposition chez Vollard en novembre 1898, l'accueil froid réservé par la critique à son grand tableau, jugé incompréhensible, restreindront dès lors ses rapports avec Paris à quelques ventes et à de vaines tentatives pour faire publier ses écrits. Le contrat passé avec Vollard en mars 1900 l'oblige à produire régulièrement, ce qui explique en partie son retour à la nature morte, un genre qu'il avait délaissé au profit des scènes avec figures. Mais ses tableaux de fleurs revêtent aussi une dimension autobiographique et affective. Ils montrent en effet le produit des graines qu'il avait demandé à Monfreid de lui envoyer pour égayer son jardin, et les tournesols qu'il peint en plusieurs ver-

♦ *Odilon Redon,* Il y eut peut-être une vision première *essayée dans la fleur, 1883 ; lithographie du recueil* Les Origines, *22,3 x 17,2 cm. Gauguin connaissait Redon, dont il appréciait l'art symboliste et visionnaire. Le motif de la fleur-œil sera transposé, en tant que présence inquiétante de l'œil qui voit tout, dans ses tournesols vangoghiens de 1901. Vers 1903-1904, Redon peignit un portrait posthume de Gauguin.*

sions vers 1899 renferment en outre un renvoi nostalgique à ses amitiés passées : à Van Gogh, bien sûr, le peintre des tournesols, mais aussi à Redon, le maître de l'art symbolique imaginaire, à travers la présence inquiétante de la fleur-œil, allusion à l'œil intérieur de l'artiste visionnaire. D'autres natures mortes, plus tardives, contiennent des références à l'univers impressionniste, à Cézanne ou à son propre cadre de vie polynésien, avec des objets exotiques qui se transforment parfois en symboles prémonitoires d'une fin prochaine.

Pendant ses derniers mois à Tahiti, Gauguin se lance dans le journalisme militant, rédigeant des articles pour un journal local, *Les Guêpes,* avant de fonder *Le Sourire,* sa propre feuille illustrée. En prenant la défense des colons et des indigènes contre l'administration, il ne faisait somme toute qu'appliquer à sa vie quotidienne la bataille libertaire qu'il avait menée sur le plan de l'art. Ce nouvel engagement lui vaudra bien des inimitiés et ne sera pas sans répercussions sur sa santé déjà usée. Dans L'*Esprit moderne et le catholicisme,* un manuscrit, rédigé sous sa forme définitive en 1902, auquel il attachait une grande importance, il s'est en outre efforcé de rassembler ses connaissances et ses idées en matière de spiritualité et de religions comparées, sans s'écarter de la logique universaliste et syncrétiste

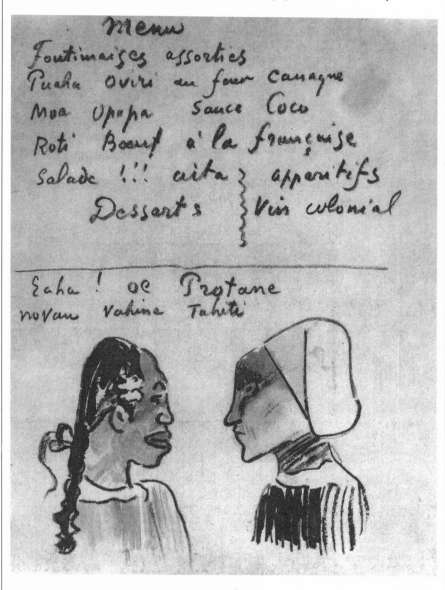

♦ Paul Gauguin, Menu illustré ; plume et aquarelle ; collection particulière. Au printemps 1900, dans une période de relative prospérité matérielle, Gauguin a organisé, pour les amis que lui avaient valus ses activités de journaliste, divers

♦ La dernière maison de Gauguin, à Hiva Oa d'après le croquis d'un voisin. Au rez-de-chaussée se trouvait l'atelier de

festins dont il a illustré les menus de dessins humoristiques. On connaît onze de ces menus, comportant des caricatures de personnalités ou des figures de son répertoire : ici, une Tahitienne et une Bretonne se saluent.

sculpture, au premier l'atelier principal et la chambre avec, au-dessus de la porte l'inscription « Maison du jouir ».

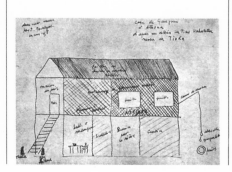

LE SYMBOLISME DE LA COULEUR

♦ Paul Gauguin, Bouquet de fleurs, vers 1896 ; 19,2 x 11,8 cm. Cette aquarelle a été collée sur la page de garde du manuscrit de Noa Noa, en accord avec le sens de ce titre : « L'[île]

odorante ». Il s'agit d'une interprétation libre et colorée d'un tableau de Delacroix, exécutée d'après une photographie en noir et blanc.

La peinture traduit la pensée en « forme-couleur », les tableaux sont des idées et la couleur est leur langage. Ces conceptions, que Gauguin avait tirées de l'essai de Baudelaire sur Delacroix, restent le fondement du symbolisme, auquel il parvient via le synthétisme et l'abstraction, et trouvent un appui dans les théories de Mallarmé : employer les mots pour leur sonorité, évoquer les objets, suggérer plutôt que montrer. C'est encore Delacroix, par le biais de son *Journal,* qui lui sert de référence pour ses réflexions de 1898 sur le pouvoir symbolique de la couleur, « cette langue si profonde, si mystérieuse, langue du rêve ». Chez ce peintre, Gauguin perçoit les signes d'un conflit entre une nature rêveuse et le réalisme de la peinture de son temps : « Et malgré lui son instinct se révolte ; [...] il foule aux pieds ces lois naturelles et se laisse aller en pleine fantaisie. Je me plais à m'imaginer Delacroix venu au monde trente ans plus tard et entreprenant la lutte que j'ai osé entreprendre. » Affranchir la couleur de l'imitation servile de la réalité et l'employer pour son essence symbolique, tel est l'enjeu. La monotonie des répétitions, certains contrastes à la

longue fastidieux que Fontainas avait relevés dans sa toile *D'où venons-nous ? Que sommes-nous ? Où allons nous ?* sont ainsi justifiés par l'artiste dans sa réponse au critique : « Violence, monotonie des tons, couleurs arbitraires, etc. Oui tout cela doit exister, existe. Parfois, cependant, volontaires – ces répétitions de tons, d'accords monotones, au sens musical de la couleur, n'auraient-elles pas une analogie avec ces mélopées orientales chantées d'une voix aigre, accompagnement des notes vibrantes qui les avoisinent, les enrichissant par opposition, Beethoven en use fréquemment [...] dans la sonate pathétique, par exemple. Delacroix avec ses accords répétés de marron et de violets sourds, manteau sombre vous suggérant le drame. Vous allez souvent au Louvre : pensant à ce que je dis, regardez attentivement Cimabue. Pensez aussi à la part musicale que prendra désormais la couleur dans la peinture moderne. La couleur qui est vibration de même que la musique est à même d'atteindre ce qu'il y a de plus général et partant de plus vague dans la nature : sa force intérieure. »

de son temps. Le rapport entre texte et image reste une de ses principales préoccupations, comme en témoignent ses œuvres graphiques. La gravure sur bois, le monotype, le satisfont par leurs résultats formels, le caractère essentiel de leurs signes et cet aspect aléatoire, imprécis, antique et mystérieux qu'il recherche. Ces illustrations correspondent également à la conviction, implicite dans les formes d'expression primitive, que les images sont un moyen de véhiculer et d'inculquer des idées. En accord avec le goût de l'époque pour les estampes populaires, il associe en 1898-1899 une série de xylographies à son manuscrit de L'*Esprit moderne et le catholicisme* : des images qui, bien que dépourvues de lien précis entre elles, peuvent se succéder comme dans un récit populaire ou sur une frise décorative.

Les nouveaux motifs marquisiens

Des paysages à découvrir, « des éléments tout à fait nouveaux et plus sauvages » pour raviver son imagination qui « commençait à se refroidir », voilà ce que cherchait Gauguin en quittant Tahiti pour Hiva Oa dans les Marquises, en septembre 1901. Ses

32

l'évolution de l'art moderne dans *Racontars de rapin*, a souligné l'absolue nécessité de la bataille que, vingt ans plus tôt, les impressionnistes et lui-même avaient menée, surmontant toute timidité, « sans crainte d'exagération : avec exagération même », pour affranchir l'art des conventions et pour que le peintre ne soit plus,

attentes ont été en grande partie comblées : il a pu travailler, fût-ce par intermittence, peindre, sculpter, écrire, jusqu'à ce que ses conflits avec le clergé et les autorités locales, dus à ses prises de position subversives, et ses deux procès pour « diffamation » d'un gendarme, aient définitivement raison de son corps et de son cœur malades, précipitant sa fin.

Dans la petite ville d'Atuona, il se fait construire une dernière résidence qu'il baptise de façon provocatrice « Maison du jouir », gravant en relief sur

des bois ornés de naïves figures sauvages cette incitation à une liberté totale en matière de mœurs et d'art. Ses rapports avec son nouvel entourage ne passent plus par l'observation ni par l'étude. Désormais, le paysage, les êtres, constituent surtout pour lui des prétextes à s'abandonner au rêve. Et le rêve transfigure ses scènes marquisiennes en visions intemporelles, ouvertes à quantité d'interprétations générales et symboliques. Gauguin regarde en lui et en arrière, se penche sur sa formation, ses instincts, son évolution intellectuelle, son art, sur tout ce qu'il aime ou déteste. Il en parle dans divers écrits assez décousus, *Avant et après*, *Racontars de rapin*. Il récapitule, fait des bilans, tranche, avec cette même impatience qui transparaît dans sa peinture à travers la simplification structurelle de la forme et du trait, âpre et fragmenté, ou la répétition mécanique des mêmes figures, parfois par simple lassitude. Il laisse libre cours à sa fantaisie de coloriste, avec les couleurs de rêve de *Femme à l'éventail* ou celles, flamboyantes, des *Baigneurs*, qui s'inspire des motifs analogues de Cézanne mais entend aussi transmettre des valeurs générales, en opposant un état d'innocence originelle à la notion conventionnelle de pudeur. Des moyens plastiques simplifiés – radicaux au point d'anticiper sur ce primitivisme de la forme qui sera un des

points de départ de Picasso et des avant-gardes du nouveau siècle – et son formidable arrière-plan culturel permettent à Gauguin d'opérer ce glissement sur le plan de l'universel dans ses extraordinaires *Cavaliers sur la plage* de 1901-1902, ultime hommage à Degas et à ses chevaux de courses à Longchamp, mais aussi préfiguration de son dernier voyage, de par l'absence d'indications spatio-temporelles et l'inquiétante présence du cavalier-*tupapau*.

Le thème des correspondances entre civilisations, croyances et univers figuratifs différents reste prégnant dans un de ses derniers chefs-d'œuvre, *Contes barbares,* où revient le masque étrange de Meyer de Haan, symbole de la philosophie judéo-chrétienne à côté de la religion orientale, dans une atmosphère colorée qui suggère la capiteuse nature tahitienne.

Peu avant sa mort, qui surviendra le 8 mai 1903, Gauguin, en retraçant

devant son chevalet, « esclave ni du passé, ni du présent : ni de la nature, ni de son voisin. » Et, en octobre 1902, il avait déjà adressé à Monfreid son testament artistique : « Vous connaissez depuis longtemps ce que j'ai voulu établir : *le droit* de tout oser : mes capacités [...] n'ont pas donné un grand résultat, mais cependant la machine est lancée. »

« À ma fenêtre ici aux Marquises à Atuona, tout s'obscurcit, les danses sont finies, les douces mélodies se sont éteintes.» (Avant et après, *1903.)*

LES ŒUVRES

« Mon œuvre depuis le début jusqu'à ce jour (on peut le voir) est une avec toutes les graduations que comporte l'éducation d'un artiste - à tout cela j'ai fait le silence et continuerai à le faire persuadé que la vérité ne se dégage pas de la polémique mais des œuvres qu'on a faites. »

Lettre à André Fontainas, îles Marquises, septembre 1902

Biographie

Paul Gauguin naît à Paris le 7 juin 1848. Clovis Gauguin, son père, est un journaliste antimonarchiste, rédacteur au *National* ; Aline Chazal, sa mère, est la fille que Flora Tristan a eue en 1825 d'un graveur-lithographe, André Chazal. Ce dernier a entre-temps été condamné à vingt ans de travaux forcés pour avoir essayé de tuer Flora, qui l'avait quitté. Paul a une sœur aînée, Marie, née en avril 1847.

En 1849, pressentant peut-être le prochain coup d'État de Louis Napoléon Bonaparte, Clovis s'exile avec sa famille à destination du Pérou. Il meurt cependant pendant la traversée, à Port-Famine, dans le détroit de Magellan, et Aline arrive seule avec ses deux enfants à Lima, où l'accueille son oncle, Don Pio de Tristan Moscoso.

Fin 1854, Aline, Paul et Marie rentrent en France, chez l'oncle Isidore et le grand-père Gauguin, qui habitent Orléans. Paul ne s'y montre guère brillant à l'école, puis va poursuivre ses études à Paris, où sa mère s'est installée comme couturière en 1861. En décembre 1865, ses résultats scolaires ne lui ayant pas permis d'accéder à l'École navale comme il l'aurait souhaité, il embarque comme pilotin (élève-officier) sur le *Luzitano*. Promu second lieutenant en 1866, il effectue l'année suivante, à bord du *Chili*, un voyage autour du monde, et apprend lors d'une escale la mort de sa mère. Peu auparavant, celle-ci avait confié la tutelle de ses enfants à un ami financier, Gustave Arosa, qui était aussi photographe et collectionneur de tableaux modernes.

Paul s'engage ensuite dans la marine de guerre, à bord du *Jérôme-Napoléon* et, quand éclate le conflit franco-prussien, il prend part à diverses opérations navales en mer du Nord. Enfin, le 23 avril 1871, il retrouve la vie civile.

Par l'intermédiaire d'Arosa, il obtient à Paris une place de remisier chez l'agent de change Bertin. Il y réussit plutôt bien et, dès novembre 1873, il épouse une jeune Danoise, Mette-Sofie Gad. Celle-ci lui donnera cinq enfants : Emil (né le 31 août 1874), Aline (24 décembre 1877), Clovis (10 mai 1879), Jean-René (12 avril 1881) et Paul, dit Pola (6 décembre 1883).

Entre-temps, avec la plus jeune fille d'Arosa, qui s'adonne à la peinture, il a commencé à dessiner et à peindre quelques paysages. En 1874, Émile Schuffenecker, un collègue de bureau, l'entraîne aux cours du soir de l'académie Colarossi, rue de la Grande-Chaumière et, en 1876, Gauguin expose un paysage au Salon. Vers la même époque, avec ses gains en Bourse, il se met à acheter des tableaux impressionnistes. Il quitte bientôt Bertin et semble s'être dès lors efforcé d'occuper, dans plusieurs autres sociétés financières, des fonctions qui lui laissaient davantage de loisirs. En 1877 au plus tard, il rencontre Pissarro, par l'intermédiaire d'Arosa. La même année, il est initié au modelage et à la sculpture par Jules Bouillot, le propriétaire de son logement de la rue des Fourneaux (l'actuelle rue Falguière) et, en 1879, il présente au moins une sculpture à la quatrième exposition des impressionnistes, sans toutefois figurer au catalogue. Il peint ensuite durant l'été à Pontoise, auprès de Pissarro. Il participera également à la cinquième exposition impressionniste et à la sixième, où il sera remarqué par Huysmans. En 1882 enfin, il prend part à la septième exposition du groupe, avec douze toiles et pastels, et un buste d'enfant.

À la suite de la crise boursière due à la faillite, en janvier 1882, de l'Union générale, il voit ses affaires péricliter et, en automne 1883, il décide de se consacrer entièrement à la peinture, espérant vivre de son art. Début 1884, il va s'installer avec sa famille à Rouen, où la vie est moins chère mais, quelques mois plus tard, il se résout à suivre sa femme, entre-temps rentrée à Copenhague avec les enfants. Il tente alors de gagner sa vie au Danemark comme représentant d'un fabricant de toiles imperméables, Dillies & Cie. Le peu de succès qu'il remporte dans cette activité, joint à son isolement artistique, le pousse toutefois à regagner la France dès juin 1885, avec son fils Clovis. Il passe l'été chez un ami en Normandie puis, après un bref séjour à Londres, rentre à Paris où il est contraint, pour survivre, de vendre quelques pièces de sa collection et d'exercer divers métiers de misère, comme celui de colleur d'affiches.

En 1886, il figure à la huitième et dernière exposition impressionniste avec dix-neuf tableaux et un bas-relief en bois. Puis, en juillet, il se rend pour la première fois en Bretagne, à Pont-Aven, point de ralliement de nombreux peintres. Il y rencontre Charles Laval et y croise le jeune Émile Bernard. À son retour à Paris, en octobre, il se met à la céramique, dans l'atelier du grand céramiste Ernest Chaplet, et se brouille avec Pissarro, depuis peu converti au « petit point ».

En avril 1887, il part avec Laval pour Panama. Mette est passée récupérer Clovis le mois précédent, et en a profité pour emmener plusieurs œuvres de son mari, qu'elle espère vendre au Danemark. À court d'argent, Gauguin travaille brièvement sur le chantier du canal, puis gagne la Martinique. Il y séjourne jusqu'en octobre, date à laquelle de violentes crises de dysenterie paludéenne l'obligent à rentrer en France.

Durant l'hiver 1887-1888, il est hébergé à Paris par Schuffenecker, rencontre Daniel de Monfreid et fréquente les frères Van Gogh, Vincent et Théo. Ce dernier, employé dans la galerie Boussod et Valadon, lui prend en dépôt quelques toiles et céramiques. De février à octobre 1888, Gauguin réside à Pont-Aven. Il peint pendant l'été avec Émile Bernard, créant ses premiers tableaux « synthétistes » et son chef-d'œuvre symboliste de *La vision après le sermon*. Fin octobre, il rejoint Vincent Van Gogh à Arles, et restera deux mois avec lui jusqu'à ce que, le 24 décembre, le tragique épisode de l'oreille coupée mette un terme brutal à leur cohabitation.

Rentré précipitamment à Paris, Gauguin reprend la céramique, commence une série de zincographies et expose en février au Salon des XX à Bruxelles. Puis, après un séjour à Pont-Aven, il regagne Paris pour organiser avec Schuffenecker une exposition du « Groupe impressionniste et synthétiste » qui se tiendra de juin à octobre au café des Arts de M. Volpini, dans l'enceinte de l'Exposition universelle. Il en profite pour effectuer plusieurs visites de la grande Exposition de 1889, s'intéressant surtout aux pavillons exotiques, et publie des articles sur les aspects artistiques de cette gigantesque manifestation. Il passe ensuite l'été en Bretagne, faisant alterner les séjours à Pont-Aven et au Pouldu, où il peint en compagnie d'un élève hollandais, Jacob Meyer de Haan. Cependant, il songe de plus en plus à partir très loin et entrevoit plusieurs destinations possibles (Madagascar, le Tonkin) avant de se fixer sur Tahiti. En 1890, il se partage entre Paris et Le Pouldu et commence, vers la fin de l'année, à se rapprocher des cercles symbolistes, nouant des relations avec des hommes de lettres comme Albert Aurier, Charles Morice, Mallarmé - dont il fera un portrait à l'eau-forte - et divers peintres, dont Odilon Redon et Eugène Carrière. Monfreid lui présente Juliette Huet, une jeune lingère avec qui il aura une brève liaison, et dont il aura une fille.

En février 1891, pour financer son voyage à Tahiti, il organise une vente aux enchères de ses œuvres. Puis il fait un crochet par le Danemark pour embrasser sa famille et, après un banquet d'adieu présidé par Mallarmé, il embarque début avril à Marseille, à bord de l'*Océanien*. Le 9 juin, il arrive à Papeete, où il entre en contact avec des officiers, des notables, des fonctionnaires européens, et peint quelques portraits. Il se met cependant bientôt en quête de zones moins contaminées par la civilisation et, en septembre, s'installe à Mataiea, à quarante-cinq kilomètres de Papeete, où il va vivre de longs mois avec une jeune indigène, Teha'amana, qui lui servira de modèle. Pendant les deux ans qu'il passe à Tahiti, il fait alterner des phases de travail intensif, réalisant en tout près d'une centaine de tableaux et sculptures, avec des périodes de moindre productivité, liées aux difficultés qu'il rencontre pour s'acclimater et aborder cet univers figuratif entièrement nouveau, ainsi qu'à de gros problèmes financiers qui le conduisent à envisager son retour en France dès le printemps 1892. Le gouvernement français ayant fini par accepter sa demande de rapatriement, il renonce à faire un détour par les Marquises, mais c'est seulement en juin 1893, après une période de travail acharné au cours de laquelle il s'essaie aussi à l'écriture, avec son *Cahier pour Aline*, qu'il peut enfin repartir pour la France avec ses toiles tahitiennes. Entre-temps, en mars 1893, une cinquantaine de ses œuvres ont été exposées à la *Frie Udstilling* de Copenhague.

Début septembre, il arrive à Paris sans un sou en poche. L'héritage imprévu de son oncle d'Orléans lui permet toutefois d'organiser en novembre, chez Durand-Ruel, une importante exposition de ses tableaux et sculptures de Tahiti - qui lui rapportera plus de publicité que d'argent - et de s'installer rue Vercingétorix dans un atelier qu'il décore de façon exotique, comme un « atelier des mers du Sud », en vue d'y présenter ses œuvres à des amateurs potentiels. Il vit là avec un jeune modèle surnommé Annah la Javanaise et reçoit, le jeudi, ses nouveaux amis : des musiciens, des écrivains symbolistes et de jeunes artistes

qui l'admirent. Il rédige à cette époque sa première version de *Noa Noa*, destinée à faciliter la compréhension de ses tableaux tahitiens, et grave dix planches de buis pour l'illustrer.

En février 1894, à l'occasion du Salon de la Libre Esthétique, où il expose, il se rend en Belgique et visite Bruxelles, Bruges et Anvers. Il gagne ensuite la Bretagne mais, en mai, une fracture à la jambe, faite lors d'une rixe avec des marins, l'immobilise, lui interdisant de peindre de grandes toiles. Ses agresseurs ne seront condamnés qu'à une amende légère, et il perd en outre le procès qu'il avait intenté à Marie Henry pour récupérer les toiles qu'il avait laissées dans son auberge.

De retour à Paris, il retrouve son atelier pillé par Annah, rentrée entretemps. Écœuré, il décide de repartir définitivement pour Tahiti et, en février 1895, il organise une nouvelle vente de toiles et dessins à Drouot. L'écrivain suédois August Strindberg, qui était aussi peintre, refuse de rédiger la préface du catalogue, dans une lettre qui sera finalement publiée en introduction. Cette vente va néanmoins se révéler un échec financier, obligeant l'artiste à reculer son voyage.

Le 3 juillet enfin, Gauguin quitte Marseille à destination de Papeete, où il arrive le 9 septembre. Il a fait escale à Auckland et en a profité pour visiter les collections d'art océanien du musée ethnographique. Déçu par les changements qu'il constate à Tahiti, il songe de nouveau à pousser jusqu'aux Marquises, mais finit par s'installer en novembre à Punaauia, sur la côte ouest, à quelques kilomètres de la capitale. Pahura, une jeune fille du village qui lui donnera deux enfants, dont un seul survivra, est sa nouvelle compagne. Son mauvais état de santé, lié aux séquelles de sa fracture, à des troubles cardiaques et à une syphilis récente et mal soignée, lui impose de nombreuses hospitalisations qui l'em-

pêchent de travailler de façon régulière. Le manque d'argent - aucune des sommes qu'il attend n'arrivant de France - et la mort de son enfant préférée, Aline, qu'il apprend en avril 1897, le plongent dans une dépression noire qui le conduira, en décembre, à tenter un suicide à l'arsenic. Sa correspondance avec sa femme cesse cette année-là.

En mars 1898, il est contraint d'accepter un modeste emploi de dessinateur au bureau des Travaux publics de Papeete. Il trouve néanmoins le temps de peindre plusieurs tableaux importants (dont sa grande toile symbolique *D'où venons-nous ? Que sommes-nous ? Où allons-nous ?* exposée à Paris dans la galerie Vollard en novembre 1898), de réaliser des sculptures et de nombreux travaux graphiques (gravures, dessins), et surtout de s'adonner intensivement à l'écriture, avec des textes théoriques et philosophiques (*L'Esprit moderne et le catholicisme*) puis, pendant ses dernières années, plus autobiographiques (*Racontars de rapin, Avant et après*). Il se lance aussi avec fougue dans le journalisme polémique. Ainsi, dès juin 1899, il collabore à une feuille satirique, *Les Guêpes* et, peu après, il fonde son propre journal, *Le Sourire*, dont il sera le rédacteur, l'illustrateur et l'imprimeur.

Quelques ventes réalisées à Paris et, surtout, le contrat qu'il passe avec Vollard, en mars 1900, lui assurent une relative tranquillité financière et stimulent sa production de peintures et d'œuvres graphiques. Il consacre en outre à l'écriture les périodes de repos forcé que lui valent ses problèmes de santé, avec trois hospitalisations pendant le seul premier trimestre 1901. Cette année-là, il se décide enfin à mettre à exécution son vieux projet d'aller aux Marquises et, avec l'argent tiré de la vente de son terrain de Tahiti, il part le 10 septembre pour l'île d'Hiva Oa. Là, dans l'agglomération principale, Atuona, il achète un bout de terrain et se fait construire

une grande case-atelier qu'il orne de reliefs sculptés et baptise la « Maison du Jouir ». Il installe chez lui une nouvelle vahiné, Marie-Rose Vaeoho, qui le quittera toutefois dès août de l'année suivante, avant de donner le jour à une petite fille.

S'il peint et écrit beaucoup pendant les premiers mois de 1902, le second semestre de l'année voit une aggravation de ses troubles. Il marche avec difficulté à cause d'ulcères aux jambes et n'arrive plus à peindre. Il envisage un moment de partir s'installer en Espagne, mais Monfreid le dissuade de revenir en Europe, arguant que son retour nuirait à son mythe.

Le cyclone qui s'abat sur l'île en janvier 1903 ayant épargné sa maison, il cède alors une partie de son terrain à un voisin dont la propriété a été détruite. Mais ses multiples prises de position provocatrices contre les autorités et en faveur des colons et des indigènes (il les incite à ne pas payer d'impôts et à ne pas envoyer leurs enfants à l'école catholique) ont envenimé ses rapports avec la gendarmerie et l'archevêché, le faisant passer pour un dangereux agitateur. Ses attaques contre un gendarme corrompu lui valent un procès pour diffamation et une condamnation à trois mois de prison, assortie d'une amende.

D'autres tracasseries, et la perspective de devoir financer un voyage à Tahiti pour son procès en appel, portent un rude coup à sa santé déjà chancelante. Il meurt le 8 mai 1903, à l'âge de cinquante-cinq ans, sans doute d'une crise cardiaque, et est enterré dans le cimetière catholique d'Atuona. Des meubles et divers objets trouvés chez lui seront ensuite vendus aux enchères et achetés pour la plupart par Victor Segalen, qui sera un de ses biographes.

En novembre, il recevra à Paris un double hommage posthume : une salle personnelle au Salon d'automne et une exposition à la galerie Vollard.

La période impressionniste

Si Gauguin a rétrospectivement eu tendance à n'attribuer que peu de valeur à ses œuvres impressionnistes, faisant volontiers remonter à ses tableaux martiniquais de l'été 1887 l'apparition d'un style véritablement personnel, sa production antérieure à cette date est loin d'être négligeable. Elle est importante à au moins deux égards : la qualité intrinsèque des œuvres et la quête qu'elles reflètent de modes d'expression individuels à travers une adaptation, puis une transformation, de la vision et de la technique impressionnistes. Celles-ci n'en restent pas moins le point de départ d'un cheminement plus autonome qui conduira l'artiste au synthétisme et à la dimension nouvelle du primitivisme.

Gauguin a abordé la peinture en autodidacte ou presque, sans passer par l'Académie, en observant les tableaux des maîtres du réalisme et de l'impressionnisme de la collection de son tuteur, en visitant les expositions et les musées. L'irremplaçable éducation de l'œil et du goût qu'il s'est ainsi formée l'oriente d'emblée vers une peinture d'avant-garde. Entre la fin des années 1870 et le début des années 1880, alors qu'il peint depuis quelques années déjà pendant ses loisirs, il rencontre les impressionnistes et commence à participer à leurs expositions. C'est Pissarro qui l'introduit dans le groupe ; c'est aussi lui qui l'initie à la touche divisée, à la palette claire, aux ombres colorées et à ce type particulier de paysage d'inspiration réaliste, aux accents graves et un peu sévères, qui revient dans ses essais d'alors. Ces compositions uniformes, sans contrastes nets de formes ni de couleurs, qui associent des arbres, des masses de végétation indistinctes et des constructions rurales, réduisant ou bannissant le ciel, portent indirectement la marque des grands maîtres du réalisme qui avaient formé Pissarro : Corot et Courbet.

De ces aspects du réalisme assimilés par les impressionnistes, Gauguin va tirer une conception du paysage qui semble bien correspondre à son tempérament réfléchi et à sa méthodique application au travail : des vues de champs, de maisons et de villages ramenés à leurs structures élémentaires, où les formes inanimées, les murs, les toits, deviennent les protagonistes de compositions denses et compactes, rigoureusement construites à coups de fines touches en virgule et d'accords de tons sourds (*Les maisons de Vaugirard*, 1880). Divers paysages exécutés sur le motif en compagnie de Pissarro, entre 1879 et 1883, à Pontoise et dans le village voisin d'Osny, qui avait conservé un caractère un peu archaïque, trahissent la recherche même de l'impressionnisme au sein de solutions plus personnelles. C'est le cas de *Pommiers à l'hermitage*, inspiré, comme d'autres de ses toiles, des vergers en fleurs et des jardins des environs de Pontoise que Pissarro avait commencé à peindre au début des années 1870. Gauguin en a réalisé trois versions : la première directement sur place, les autres en s'écartant un peu du motif pour accentuer les contours, les ombres et l'effet décoratif des branches contre le ciel. Ses vues de Pontoise et d'Osny restent très proches des motifs analogues de Pissarro - jusque dans leurs cadrages avec des sentiers en pente, des objets qui bouchent la vue et bornent l'horizon - tout en renforçant leur apparence de cohésion formelle (*Osny, chemin montant*, 1883). Il table sur une sélection des éléments naturels et sur la construction du paysage, car il sent qu'il travaille mieux en atelier. En effet, le souvenir confère à ses motifs plus de force, lui permet d'en tirer l'essentiel, d'aller au-delà de l'impression momentanée, de donner à ses vues un aspect plus composé, avec de grandes lignes qui dessinent les contours et des harmonies fondées sur des juxtapositions de tons voisins.

Ses rapports avec la peinture de Cézanne, qu'il a côtoyé chez Pissarro, constituent un élément de son art plus complexe et plus difficile à déchiffrer. Son admiration englobe à la fois la personnalité de l'homme et ses trouvailles picturales, dont l'orientation l'intéresse beaucoup (sa recherche d'une « formule », la puissance constructive de sa touche). Mais ce qu'il tire de Cézanne est moins une influence passagère - alors perceptible, à côté d'autres sources d'inspiration, dans le recours à une touche plus systématique pour construire les volumes et dans l'emboîtement des masses (*Rouen, les toits bleus*, 1884) - qu'une leçon globale de peinture et de morale artistique, qu'il n'oubliera jamais.

À cette époque, les composantes impressionnistes de sa peinture, qu'elles soient stylistiques ou thématiques, embrassent, au demeurant, un très vaste champ de références. Gauguin a en effet mis un point d'honneur à aborder tous les sujets traités par ses aînés, espérant égaler leur virtuosité dans le rendu des effets de lumière naturelle, en plein air comme dans les intérieurs avec ou sans figures. Son *Étude de nu* exposée en 1881 reprend ainsi un motif on ne peut plus classique, mais rendu avec les moyens du réalisme et associé au thème, plus intimiste, des travaux d'aiguille que Millet, Manet, Cézanne, Pissarro et Gauguin lui-même (*Mette Gauguin cousant*, 1878) avaient déjà traité. C'est précisément dans cette élaboration et cette fusion de deux thèmes qui renvoient de diverses manières au courant naturalisme-impressionnisme (qu'on songe aux nus de Courbet) que Gauguin parvient à se distinguer. Son nu peint d'après modèle, sans idéalisation, avec un corps plutôt lourd, des ombres foncées, semble réaliste ; et pourtant, cette femme se livre à l'improbable activité qui consiste à coudre nue dos à la lumière, dans un décor vaguement oriental, devant un mur orné d'un tapis rayé et d'une mandoline, objet fétiche présent dans plusieurs de ses natures mortes de la même époque. Il s'agit en tout cas d'un beau morceau de peinture moderne, qui n'échappera pas à l'œil averti de Huysmans.

Les paysages enneigés, propices à la restitution de subtils effets de lumière et de couleur, comptaient parmi les sujets favoris des impressionnistes. Gauguin s'est efforcé d'en peindre dès ses débuts, les considérant un peu comme le banc d'essai de sa conquête d'une identité de peintre antiacadémique. *La Seine au pont d'Iéna, temps de neige*, de 1875, est une vue au cadrage conventionnel, à la Guillaumin, traitée dans des tons sombres ; *Jardin sous la neige* (1879) a été peint dans le quartier de Vaugirard avec des touches hachées de couleurs claires, mais sa matière reste lourde et granuleuse. Quant au petit *Effet de neige* de l'hiver 1882-1883, il reflète, comme sa variante plus grande avec figures, des progrès techniques dans la restitution d'une atmosphère colorée. À l'instar d'autres œuvres de la même période, il représente un coin du jardin du pavillon de la rue Carcel, toujours à Vaugirard, où l'artiste a emménagé en 1880, à l'apogée de sa prospérité financière. Et comme d'autres scènes hivernales de Pissarro ou de Guillaumin, il a été peint avec de longues touches fines pour rendre les branches dénudées et les fils d'herbe sous la neige, de petites touches croisées pour le ciel, comme chez Monet, et des tons divisés - bleu clair, rose pâle, vert - qui se fondent pour créer une luminescence diffuse. Les résultats les plus aboutis et les plus originaux de cette confrontation avec les modèles impressionnistes apparaissent toutefois dans des œuvres à caractère autobiographique, qui montrent le quartier et la maison de l'artiste ou des membres de son entourage. *La famille du peintre dans le jardin de la rue Carcel* (vers 1881) pose ainsi sur Mette, Clovis, Aline et le petit Jean-René un regard un peu froid, avec ses couleurs sourdes, presque sales, et ses personnages isolés les uns des autres, renfermés en eux-mêmes, bien loin de la décontraction épanouie des groupes familiaux intimistes fréquents dans la peinture impressionniste.

Dans ses intérieurs (des natures mortes avec figures, ou des images d'enfants saisis dans la spontanéité de leurs occupations quotidiennes, une nouveauté introduite dans l'iconographie impressionniste par Mary Cassatt), l'influence de Degas domine, parfois flagrante, sous forme de transpositions ou de citations de motifs oscillant entre l'hommage et le défi. Posés sur des sièges ou des plans indéterminés, les objets sont en partie coupés par le cadrage, en vertu d'un hasard apparent qui substitue au principe de la mise en pose celui, plus moderne, de la composition décorative. *Intérieur du peintre, rue Carcel*

(1881) reprend ainsi le genre composite de la nature morte avec scène intimiste traité par Manet et Renoir, mais emprunte à Degas le procédé qui consiste à placer au premier plan un bouquet de fleurs, reléguant au fond les personnages à demi cachés - Mette et peut-être l'artiste lui-même - et confiant à des objets le soin d'assurer une liaison entre les différents plans. Les couleurs sombres et le tissu pictural compact, formé de touches menues, communiquent bien l'atmosphère calme d'un foyer bourgeois. Gauguin trouve d'ailleurs chez Degas quantité d'autres subterfuges pour conférer plus d'immédiateté à une scène, accroître son aspect décoratif et exalter ses valeurs formelles, en substituant aux rapports logiques entre objets et figures des correspondances de couleurs. Dans ses représentations d'enfants, d'autant plus fréquentes qu'il ne manque pas chez lui de modèles à observer, cette méthode essentiellement antinaturaliste l'entraîne hors des sentiers battus du portrait ou de la scène de genre, et lui permet de créer des images qui restituent, selon la formule de Charles F. Stuckey, le « monde intérieur et rêveur de l'enfance ». Plusieurs de ses titres font ainsi référence à des états d'âme, comme *La petite s'amuse* ou *La petite rêve*, exposés en 1882 et consacrés à sa fille Aline. Et dans un de ses plus beaux tableaux de ce type, *Enfant endormi* (vers 1883), ce sont les contrastes de couleurs juxtaposées suivant la règle des complémentaires et le parti pris décoratif - avec la prédominance d'un fond de papier peint à motifs fantaisistes - qui régissent la scène et non les proportions réelles. Le bock de bière, objet familier que l'artiste reprend dans diverses natures mortes de la même époque, est en effet bien trop grand par rapport à la tête de l'enfant. Dans le diptyque au pastel *Le sculpteur Aubé et un enfant* (1882), deux personnages, dessinés séparément et dans des lieux différents, sont ainsi rapprochés de manière à donner l'illusion d'une scène unique grâce aux rapports de complémentaires (les orangés et les bleus du fond), à l'homogénéité de la technique et à l'expédient qui consiste

à faire empiéter le vase posé devant le sculpteur sur la moitié où figure l'enfant. On retrouve dans tous ces intérieurs un goût japonisant, qui se traduit par un aplatissement des figures, comme plaquées contre la toile, et par des mises en page peu conventionnelles.

Degas préside aussi aux premiers essais de bois taillé de Gauguin, proches des sujets modernes alors traités par les impressionnistes. Au début des années 1880, Degas commençait en effet à pratiquer la sculpture : le réalisme de *sa Petite danseuse de quatorze ans* présentée lors de l'exposition impressionniste de 1881, avec pour référence explicite les sciences anthropologiques et la physiognomonie, suscita bien des discussions et des interrogations. La statuette de Gauguin *Dame en promenade (La petite Parisienne)* et son médaillon *La chanteuse, Portrait de Valérie Roumi*, qui figuraient dans cette même exposition de 1881, s'inspirent ainsi d'œuvres de Degas, de son pastel *Chanteuse de café-concert* notamment. Toutefois, plus que le sujet, ce sont les formes rigides, sommairement taillées, et la juxtaposition, dans le médaillon, de parties soigneusement finies et d'autres à peine ébauchées, ainsi que de matériaux différents, qui suggèrent des orientations nouvelles. En s'attaquant à ce mode d'expression plastique vers lequel il se sentait particulièrement porté, Gauguin semble instinctivement suivre une tendance qui se dessinait alors chez les impressionnistes et dans les milieux littéraires : se tourner vers des systèmes de représentation opposés au réalisme, comme l'art égyptien, perse ou japonais, et revenir au travail du bois, à la manière des grands sculpteurs gothiques.

Ces expériences trahissent le besoin de dépasser les habitudes et les procédés du naturalisme mais, si la réflexion de Gauguin a déjà considérablement avancé dans cette voie, il est encore gêné dans sa pratique par une maîtrise imparfaite de ses moyens d'expression et continue donc à s'accrocher à la technique picturale que Pissarro lui a enseignée. À une remarque de ce dernier, qui lui reprochait la monotonie de ses peintures rouennaises, Gauguin réplique ainsi, conscient de ses limites : « Pour rendre la pensée il faut être sûr de son exécution et je n'ai pas encore trouvé dans celle-là ce que je veux faire. » Pendant la période 1884-1885, son évolution stylistique marque le pas, en partie en raison de facteurs externes : la dégradation de ses rapports avec son épouse, due à sa décision de se consacrer entièrement à l'art et aux difficultés financières qui s'ensuivent, mais aussi son trouble face à l'éclatement du groupe impressionniste, auquel il se sent plus que jamais lié.

Les rares tableaux qu'il peint au Danemark reflètent cette crise personnelle. Dans l'*Autoportrait devant son chevalet*, il se présente à la fois comme un peintre sûr de son choix, à la recherche de ses moyens d'expression, et comme un homme seul, l'air un peu perdu, dans une attitude étrangement suspendue. Les œuvres qu'il produit durant cet hiver et ce printemps 1885 - des vues de Copenhague et de ses parcs, des réélaborations de ses paysages rouennais, des éventails reprenant divers motifs impressionnistes - ne sont que timidement novatrices, et l'on y lit un besoin aigu de renforcer, à distance, ses liens avec les impressionnistes et avec Cézanne, dont il garde plusieurs toiles auprès de lui. Les rigueurs du climat danois n'encouragent certes guère le travail en plein air. Un de ses rares paysages hivernaux de cette époque, *Patineurs au parc de Frederiksberg*, est structuré comme un Pissarro et peint avec des couleurs sourdes, dans une gamme de rouges, d'orangés et de jaunes renforcés par des verts. L'accentuation de quelques éléments de la scène - l'arbre penché au premier plan, les troncs dénudés, le bord de l'étang, les silhouettes des jeunes gens - trahit une volonté de prise de distance à l'égard du motif au profit de la composition et de l'effet décoratif.

Gauguin sait que la résolution des problèmes d'ordre technique est essentielle à la progression de son langage, à l'expression picturale de ce qu'il ressent. Il s'en explique à Pissarro dans une lettre du printemps 1885,

sorte de bilan de ses derniers mois de travail. Ainsi, estime-t-il, « le côté terne « qu'on notait dans ses tableaux de Rouen (et que son ami avait critiqué) lui était nécessaire : « n'ayant pas beaucoup d'exercice et mon art étant plus de réflexion que de métier acquis j'avais besoin d'un point de départ opposé à celui que je déteste chez les peintres à effet et tire-l'œil ». Il a toutefois le sentiment d'avoir accompli dans ses derniers tableaux un « progrès énorme » : le résultat y est « plus souple plus clair plus lumineux sans avoir changé de méthode, tons à côté les uns des autres très peu distants ».

Nature morte à la mandoline marque une progression vers une conception décorative de la peinture, avec ses objets disposés en fonction de correspondances de couleur. Le rouge, le blanc et le vert des fleurs reprennent ainsi les teintes du tableau partiellement visible au mur (peut-être un verger de Guillaumin). Ce dernier est entouré d'un large cadre blanc, type d'encadrement raffiné alors courant chez les impressionnistes et qui fut, selon Van Gogh, inventé par Gauguin. « [...] Il n'y a pas *d'art exagéré*, concluait Gauguin dans sa lettre à Pissarro. Et même je crois qu'il n'y a de salut que dans l'extrême, tout milieu est médiocre. » Au fond, dans sa tête, il est déjà sorti de l'impressionnisme, convaincu qu'il est que la peinture doit traduire la pensée avec les instruments abstraits qui lui sont propres : les lignes, les couleurs. Mais, pour y arriver concrètement, il lui faut encore rompre avec les formules apprises et les habitudes, réduire l'écart entre sa main et son esprit, entre monde observé et monde intérieur, entre réel et imaginaire.

Les tableaux qu'il peint à son retour en France et pendant l'été qu'il passe à Dieppe restent donc très proches de l'impressionnisme. Dans cette petite station balnéaire mondaine, il n'a guère trouvé de motifs qui l'inspiraient : il s'est contenté de peindre des vues du port et de ses bateaux, plusieurs marines avec baigneurs dont les petites touches parallèles, croisées ou obliques, et les couleurs claires rappellent Monet, mais aussi quelques baigneuses plates et décoratives, apparentées au style de Degas.

38

◆ Paysage, *1873 ;* de Barbizon de la
huile sur toile ; collection Arosa, il
50,5 x 81,5 cm ; manifeste d'emblée
Fitzwilliam Museum, une grande
Cambridge. assurance, comme
En 1873, Gauguin le montre cette vue
peint pendant composée avec brio
ses loisirs avec et brossée à larges
Marguerite Arosa, la touches de couleurs
fille cadette de son claires, mais encore
tuteur. S'inspirant des très conventionnelle.
paysages de l'école

◆ La Seine au pont d'Iéna, temps de neige, *1875; huile sur toile; 65 x 92,5 cm; musée d'Orsay, Paris. Les couleurs sombres et la pâte un peu lourde trahissent l'influence des peintres de Barbizon, tandis que le motif et* l'ample cadrage de cette vue rappellent des œuvres de Jongkind et de Guillaumin. Gauguin a déjà découvert les impressionnistes, suit leurs expositions et ne va pas tarder à collectionner certains de leurs tableaux.

40

◆ Jardin sous la neige, *1879 ; huile sur toile ; 60,5 x 80,5 cm ; Szépmüvészeti Múzeum, Budapest.* Près du logement qu'il louait depuis 1877 rue des Fourneaux, Gauguin a peint une petite étude de paysage hivernal dont il a ensuite tiré ce tableau, sans doute présenté lors de la cinquième exposition des impressionnistes (1880). Il s'agit d'un de ses premiers essais d'effets de neige - sujet difficile s'il en fut - ici traité avec une matière plutôt épaisse.

41

◆ Pommiers de l'hermitage, *dans les environs de Pontoise*, 1879 ; huile sur toile ; 65 x 100 cm ; Aargauer Kunsthaus, Aarau.
Ce paysage remonte à une des périodes de travail de l'artiste à Pontoise, auprès de Pissarro, et renvoie aux vergers peints par ce dernier pendant les années 1870. Gauguin en a réalisé trois versions, à partir d'études sur le motif qu'il a ensuite remaniées en modifiant les masses de feuillage, les nuages et les ombres pour accentuer l'effet décoratif.

42

◆ Les maraîchers de
Vaugirard, *1879 ;
huile sur toile ;
66 x 100,3 cm ; Smith
College Museum of
Art, Northampton
(Mass.).
Dans le quartier de
Vaugirard, « intimiste
par excellence » selon
l'écrivain Huysmans,
il existait alors une
continuité entre la
campagne cultivée
et la ville avec ses
édifices industriels
et ses immeubles de
rapport. Gauguin en
montre ici le versant
rural, dans un
paysage de parti pris
réaliste et bien
structuré,
conformément
à l'enseignement
de Pissarro.

◆ Les maisons de Vaugirard (Bâtiments de ferme), *1880 ; huile sur toile ; 81 x 116 cm ; collection particulière, New York. Le point de vue surélevé s'inscrit dans la tradition du paysage réaliste inventé par Corot et développé par des* impressionnistes *comme Pissarro et Cézanne. En l'absence de personnages, ces maisons, dont les murs et les toits forment une combinaison de formes géométriques essentielles, semblent posséder une vie propre.*

44

◆ Mette Gauguin cousant *(page ci-contre), 1878 ; huile sur toile ; 115 x 80,5 cm ; collection Bührle, Zurich.*
Cette image intimiste de femme à contre-jour dans un intérieur s'inspire d'un motif analogue de Pissarro et se situe bien dans la lignée réalisme-impressionnisme. Le décor, les objets et la lumière diffuse reflètent l'atmosphère d'une paisible existence bourgeoise.

◆ Étude de nu (Suzanne cousant), *1880 ; huile sur toile ; 111,4 x 79,5 cm ; Ny Carlsberg Glyptotek, Copenhague.*
Ce nu moderne, qui s'apparente au réalisme de Courbet mais aussi à une longue tradition de peinture de musée, a valu à Gauguin son premier succès officiel lors de l'exposition de 1881. Il évoqua à Huysmans, admiratif, des œuvres de Rembrandt.

46

◆ La chanteuse : portrait de Valérie Roumi *(page ci-contre, en haut), 1880 ; acajou et plâtre peints ; 54 x 51 x 13 cm ; Ny Carlsberg Glyptotek, Copenhague.* S'inspirant de pastels de Degas comme *Chanteuse de café-concert (1878),* Gauguin expérimente ici le potentiel expressif de la sculpture, qu'il renforce par une légère polychromie et quelques rehauts d'or. La forme en médaillon et la fixité du visage de ce buste, d'une facture délibérément irrégulière avec des parties soigneusement polies et d'autres à peine ébauchées, tranche avec les scènes de vie moderne des impressionnistes, rappelant plutôt la statuaire funéraire.

◆ Dame en promenade (La petite Parisienne) *(page ci-contre, en bas), 1880 ; bois teinté de rouge et de noir ; h. 25 cm ; collection particulière.* D'étroits échanges avec Degas sont à l'origine de cette représentation de jeune femme coquettement vêtue, dont la forte connotation impressionniste, le côté « tranche de vie », font toutefois ressortir l'originalité du style. Le modelé sommaire du bois a notamment incité à des rapprochements avec des œuvres d'art populaire et archaïque.

◆ Le sculpteur Aubé et un enfant *(ci-dessus), 1882 ; pastel ; 53,8 x 72,8 cm ; musée du Petit Palais,* Paris. Sculpteur académique renommé, Jean-Paul Aubé (1837-1916 ou 1920) travaillait pour des céramistes de la firme Haviland, leur fournissant des figurines ornementales comme celle du vase qu'on voit ici au premier plan. Gauguin l'avait rencontré en 1877. Il lui doit sa première approche de la céramique.

48

◆ Vase de fleurs
à la fenêtre, 1881 ;
huile sur toile ;
19 x 27 cm ; musée
des Beaux-Arts,
Rennes.
À l'époque où il tente
de s'imposer comme
impressionniste,
Gauguin s'essaie à
tous les genres
pratiqués par les
artistes de ce courant.

La nature morte en
est un, et celle-ci,
allie les empâtements
sombres de
la tradition réaliste
à une façon assez
conventionnelle
de disposer les objets
en structurant
la composition
autour de plans
horizontaux
et verticaux.

◆ Fleurs, nature morte
(Intérieur du peintre,
rue Carcel), 1881 ;
huile sur toile ;
130 x 162 cm ;
Nasjonalgalleriet,
Oslo.
« Quant à son
intérieur d'atelier,
il est d'une couleur
teigneuse et sourde »,
décréta Huysmans
lors de l'exposition
impressionniste de
1882, où figurait ce
tableau. Tout en
trahissant quelque
hésitation dans
l'usage de la couleur,
cette préférence pour
des tons sombres,
propices à la
restitution
d'atmosphères
calmes, éloignait
Gauguin de
l'impressionnisme le
plus typique.

50

◆ Jardin à Vaugirard (La famille du peintre dans le jardin de la rue Carcel), *vers 1881 ; huile sur toile ; 87 x 114 cm ; Ny Carlsberg Glyptotek, Copenhague.* On voit ici Mette avec Aline, Clovis et, dans le landau, le dernier-né, Jean-René. Au fond, la récente église Saint-Lambert formait un élément typique du quartier de Vaugirard. Cette scène un peu statique a été peinte avec des couleurs plutôt froides et de petites touches analogues à celles de Pissarro.

◆ La mare aux canards (La petite s'amuse), *1881 ; huile sur toile ; 32 x 50 cm ; collection particulière.* La possibilité d'observer sa progéniture a incité Gauguin à intégrer des images d'enfants à sa production impressionniste. Il s'y montre attentif à leur vie intérieure, comme le révèlent des titres tels que La petite rêve ou celui de ce tableau, qui semble reprendre de façon humoristique le titre de la pièce controversée de Victor Hugo, Le Roi s'amuse.

52

◆ Effet de neige (La neige rue Carcel) *(page ci-contre, en haut), 1882-1883 ; huile sur toile ; 60 x 50 cm ; Ny Carlsberg Glyptotek, Copenhague.* Pendant la première moitié des années 1880, Gauguin a brossé plusieurs vues du pavillon qu'il louait rue Carcel, dont ce paysage enneigé peint du haut d'une fenêtre. On entrevoit au fond, dans l'atmosphère ouatée, les cheminées des usines voisines.

◆ Effet de neige *(page ci-contre, en bas), 1883 ; huile sur toile ; 117 x 90 cm ; collection particulière.* On retrouve sur cette grande toile le même jardin que sur la précédente, avec cette fois des personnages au premier plan. Ces deux œuvres témoignent des progrès accomplis par Gauguin dans le traitement d'un sujet, la neige, cher aux impressionnistes et propice à la restitution de subtils effets luministes et chromatiques. Les touches sont fines et allongées, et leurs couleurs se fondent pour créer un ensemble de tons gris luminescents.

◆ Osny, chemin montant *(ci-dessus), 1883 ; huile sur toile ; 76,5 x 101 cm ; Ny Carlsberg Glyptotek, Copenhague.* Peindre à Osny auprès de Pissarro aide Gauguin à saisir ses motifs de manière plus synthétique.

C'est toutefois le travail en atelier qui lui permet de prendre la distance qu'il souhaite, et de simplifier ses vues pour les rendre plus incisives à l'aide de contours mieux cernés et d'une touche plus systématique. Il parvient ici à réaliser un de ses premiers paysages très composés, doté d'une véritable structure architecturale.

54

◆ Patineurs dans le
parc de Frederiksberg,
1884 ; huile sur toile ;
65 x 54 cm ; Ny
Carlsberg Glyptotek,
Copenhague.
Ce parc gelé revêt
de flamboyantes
couleurs d'automne,
et la vue est rythmée
par des troncs. Les
petites touches
serrées sont
empruntées à
Pissarro, mais les
formes simplifiées et
la courbe de l'étang
renforcent l'aspect
décoratif de l'œuvre.

◆ Rouen, les toits
bleus (page ci-
contre), 1884 ; huile
sur toile ;
74 x 60 cm ;
collection Oskar
Reinhardt « Am
Römerholtz »,
Winterthur.
Dans ses tableaux
rouennais, Gauguin
reste très influencé
par Pissarro, mais
pour cette œuvre, une
de ses principales de
1884, il a aussi songé
à la puissance
constructive et à la
simplicité structurelle
du style de Cézanne.

56

◆ Mette Gauguin en robe du soir *(page ci-contre)*, 1884 ; huile sur toile ; 65 x 54 cm ; Nasjonalgalleriet, Oslo.
Ce portrait très impressionniste, dans un intérieur à peine esquissé, évoque diverses œuvres de Monet, Cassatt ou Morisot, *et replace Mette dans ce rôle de grande bourgeoise élégante auquel elle aspirait. La rotation du buste et du visage vers quelque chose qui reste en dehors du cadre confère une certaine immédiateté à l'image, mais aussi un air absent et distant au personnage.*

◆ Enfant endormi, 1884 ; huile sur toile ; 46 x 55,5 cm ; collection particulière, Lausanne.
Sans se soucier des proportions réelles, Gauguin rapproche arbitrairement la chope de la tête de l'enfant, avec un curieux effet de montage qu'on a pu qualifier de « pré-surréaliste ». Le papier peint du fond et les couleurs, employées suivant la loi du contraste simultané pour intensifier les tons, accentuent le côté antinaturaliste de la composition, par ailleurs cadrée comme une « tranche de vie » à la Degas.

58

◆ Autoportrait devant
son chevalet, *1885 ;
huile sur toile ;
65 x 54 cm ;
collection particulière.
Gauguin s'est peint à
l'aide d'un miroir, en
train de travailler dans
une sorte de réduit
qui lui sert d'atelier de
fortune. Son attitude,
un peu hésitante et
suspendue, exprime
le malaise lié à son
séjour à Copenhague,
mais aussi son
irrévocable décision
de devenir un artiste
à part entière.*

◆ Nature morte à la
mandoline *(page ci-
contre), 1885 ; huile
sur toile ;
64 x 53 cm ; musée
d'Orsay, Paris.
Ce tableau associe
des éléments d'autres
natures mortes de
l'artiste - les pivoines
aux tons éclatants, la
mandoline, chère à
son cœur - à des
objets choisis pour
leurs accords de
formes ou de couleurs
avec les précédents.
L'arrondi domine
et l'effet d'ensemble
est éminemment
décoratif.*

60

◆ Coin de mare, 1885 ; huile sur toile ; 81 x 65 cm ; Galleria d'Arte Moderna, Milan.
Cette scène rustique prélude aux œuvres bretonnes de l'artiste, mais son traitement reste conventionnel et lié aux leçons de Pissarro.
La campagne normande ne semble pas avoir offert à Gauguin beaucoup de motifs et ce sont surtout la mer et la plage qu'il peindra à Dieppe.

◆ Baigneuses à Dieppe (page ci-contre, en haut), 1885 ; huile sur toile ; 38 x 46 cm ; musée national d'Art occidental, Tokyo.

Ces baigneuses rappellent par leurs couleurs, appliquées en touches larges et plates, et par le rythme de leurs silhouettes de dos qui entrent dans la mer, les curieuses Petites paysannes se baignant (1875-1876) d'Edgar Degas.

◆ La plage à Dieppe (page ci-contre, en bas), 1885 ; huile sur toile ; 71,5 x 71,5 cm ; Ny Carlsberg Glyptotek, Copenhague.
Proche des motifs impressionnistes, Gauguin compose ici son tableau en insérant des figures dans une plage.

Sur la voie d'un art personnel

Gauguin découvre Pont-Aven en juillet 1886. Il lui faudra toutefois du temps, et d'autres séjours, pour instaurer entre l'univers breton et sa propre sensibilité cet accord dont il a besoin pour mettre au point les éléments d'un langage pictural dépassant l'impressionnisme. Lent à se familiariser avec le paysage et avec les êtres, à s'approprier leur caractère, il mêle ce travail à d'autres expériences et, loin d'apparaître d'emblée décisives pour sa peinture, les conséquences de cette première rencontre avec la Bretagne seront surtout productives à long terme. Ses nouveaux acquis portent sur l'étude de modèles en pose et sur la façon de composer ses œuvres, mais son coup de brosse reste résolument impressionniste.

Les paysans de la région avaient depuis longtemps appris à poser pour les peintres ; Gauguin en a fait de nombreux croquis et dessins au fusain et au pastel, dans des attitudes diverses. Il s'est efforcé de saisir chez eux, non pas ce côté pittoresque qui attirait à Pont-Aven une foule de « rapins », mais ce que leurs gestes et leurs costumes avaient d'essentiel et d'expressif, leur caractère intime, leur beauté rustique et naïve. Ces dessins et ces esquisses, une vraie mine de documents qu'il exploitera à différents moments dans ses peintures et pour ses premières céramiques, forment le point de départ de la démarche composite qu'il adopte à cette époque pour créer ses tableaux et qui va dès lors devenir chez lui systématique. Les grandes coiffes, dont la légèreté et la blancheur contrastent avec les autres éléments du costume sombre des Bretonnes, lui suggèrent des arabesques décoratives. Elles dominent un tableau important de ce premier séjour à Pont-Aven, *La danse des quatre Bretonnes* : une scène très composée dont les figures au premier plan, tirées de dessins d'après nature, sont reliées par les courbes décoratives de leurs gestes, de leurs vêtements et où des coups de brosse hachés suggèrent les volumes. *La bergère bretonne* est toutefois le premier résultat abouti de cette nouvelle procédure ; la bergère provient de croquis préparatoires d'une petite paysanne en pose, tandis

que le paysage est étudié séparément sur le motif. La mise en page et l'atmosphère calme du tableau restent celles de ses précédents paysages impressionnistes, mais la perspective légèrement inclinée annonce déjà les types d'organisation de l'espace qu'il privilégiera dans ses toiles ultérieures. Impressionniste par sa lumière claire, diffuse et son interprétation du cadre naturel, *Jeunes Bretons au bain* aborde un thème sur lequel Gauguin reviendra bientôt, à son retour de la Martinique, avec *La baignade*, un autre paysage sans ciel mais plus compact, peint avec une touche constructive assez cézannienne. Cette dernière toile montre deux baigneuses dans des attitudes inspirées par des pastels de femmes à leur toilette de Degas, exposés en 1886 et dont Gauguin avait fait des croquis qu'il réutilisera à plusieurs reprises, y compris pour ses nus tahitiens.

« Si vous êtes curieux de voir sortis du four tous les petits produits de mes hautes folies, c'est prêt - 55 pièces en bon état. Vous allez jeter les grands cris devant ces monstruosités mais je suis convaincu que cela vous intéressera. » Cette annonce originale, de la fin 1886 ou du début 1887, au peintre, graveur et décorateur Félix Bracquemond fait état d'un champ d'intérêt nouveau pour Gauguin, la céramique. Il s'y est consacré avec passion, ne tardant pas à renoncer à son espoir initial de gains faciles, qui sera déçu, au profit du plaisir de créer librement avec un matériau qu'il appréciait beaucoup. Rejetant au second plan la fonction utilitaire de la poterie, il exalte son potentiel expressif, faisant varier à l'infini la forme de ses vases et de leurs anses dont les décors faussement naïfs s'inspirent de motifs bretons ou de danseuses de Degas. Le style rustique et novateur que Gauguin tente d'obtenir en terre cuite s'associe à ses dernières recherches picturales au travers de transpositions de motifs, mais aussi parce que la technique même de la céramique l'encourage à schématiser les formes, à cerner les silhouettes, à proposer, en somme, une interprétation synthétique des objets. Le splendide vase cylindrique en grès

émaillé façonné au tour par Chaplet, que Gauguin a orné de figures tirées des mêmes dessins que *La Danse des quatre Bretonnes*, avec des contours simplifiés, creusés, pour éviter le mélange des couleurs lors de la cuisson et relevés d'or, est ainsi considéré à juste titre comme un trait d'union capital entre son expérience en céramique et l'élaboration du synthétisme en peinture.

L'importance conférée par Gauguin à la poterie, sur le plan artistique comme sur le plan personnel, ressort des développements de cette activité au cours des mois suivants. Les pièces qu'il réalise dans l'atelier de Chaplet pendant l'hiver 1887-1888, après son voyage en Martinique, reflètent ainsi d'énormes progrès techniques et formels dans l'évolution qui mène de l'objet utilitaire à la sculpture proprement dite. L'artiste obtient en outre, avec ses vernis et ses colorations, des effets plus complexes, et invente des formes plus audacieuses et plus fantaisistes, allant jusqu'à défier les limites du matériau. Son habitude de représenter certains de ses vases dans ses natures mortes témoigne de la valeur affective qu'il leur accordait, et souligne le lien entre ces deux modes d'expression qui l'intéressent autant l'un que l'autre, lien qui se renforcera encore pendant sa période symboliste.

Ses céramiques du début 1888 intègrent un élément nouveau, l'exotisme, à travers l'influence des vases anthropomorphes péruviens. Gauguin connaissait ce type de vases depuis son enfance, par la collection que sa mère avait rapportée en France et qui fut détruite lors de l'incendie de sa villa de Saint-Cloud. Il en avait aussi vu dans les musées parisiens, et le charme archaïque et mystérieux de ces objets, riches en suggestions formelles et expressives, l'attirait. Parmi les premiers vases-portraits qu'il va en tirer figurent le *Pot en forme de buste* de la petite Jeanne, la fille de son ami Schuffenecker, conçu comme une véritable sculpture évidée, et le *Pot décoré d'une tête de femme*, en grès partiellement émaillé. Ce dernier constitue lui aussi, plus qu'un objet utilitaire, une véritable sculpture-portrait.

Il s'inspire d'un ancien vase péruvien des collections du musée de l'Homme, orné d'un démon-crabe pêcheur coiffé d'une tiare en éventail, et sa double collerette surmontée d'une anse formant une sorte d'auréole, jointe à la matité de la tête qui contraste avec le corps verni du vase, d'une subtile coloration flammée, lui confère une étrange charge symbolique.

Le séjour à la Martinique de l'été précédent avait contribué à faire ressortir chez Gauguin une tendance latente à se reconnaître dans des formes d'expression artistique et un environnement naturel étrangers à la civilisation occidentale. Ce voyage était son premier dépaysement radical depuis qu'il avait quitté la marine. La végétation luxuriante de l'île, le spectacle des femmes transportant sur leurs têtes de lourdes charges, leurs mouvements gracieux, leurs costumes multicolores, ont stimulé le Gauguin paysagiste de formation impressionniste et le peintre de figures qu'il s'apprêtait à devenir. Il était parti chercher des motifs inédits, mais aussi un mode de vie différent, et c'est bien cela qu'il s'est efforcé de rendre. Cette fois encore, il a commencé par des croquis sur le vif et des dessins de modèles en pose, pour saisir le caractère des Martiniquaises et explorer, à travers une accentuation des contours, les rythmes décoratifs que lui suggéraient leurs attitudes et leurs costumes. Puis, suivant la procédure inaugurée à Pont-Aven, il a introduit ces personnages dans des paysages en s'efforçant d'agencer de façon décorative leurs gestes, leurs rapports entre eux et avec le décor. S'éloignant du motif, il a conçu des mises en page élaborées, qu'il a peintes à petits traits plus ou moins allongés, mieux contrôlés, de couleurs pures, plus vives et resplendissantes qu'auparavant, juxtaposées en un tissu compact. Il a tiré des paysages martiniquais - la baie de Saint-Pierre, les sous-bois ombragés, les étangs - des visions d'une nature vierge splendide et éminemment décorative, avec cependant quelque chose de lointain et de nostalgique.

Ainsi, dans ses vues de la plage d'Anse Turin, qui s'étendait le long d'une petite baie à mi-chemin entre Saint-Pierre et le village du Carbet, la composition s'organise autour de lignes horizontales ; les troncs et les branches des arbres forment des tracés décoratifs, et les personnages, tirés de dessins de modèles en pose, sont harmonieusement disséminés sur la plage ou se suivent avec leurs fardeaux, à l'instar des porteurs d'un cortège antique. La simplification du paysage et la réduction de ses trois parties essentielles (la rangée d'arbres, la plage, la mer) à un clair système décoratif ont été suggérées par une estampe japonaise, tandis que le cadrage de la vue, avec les flots limités par la plage et par des montagnes aux bleus, verts et rouges intenses qui contrastent avec l'ocre du sable, rappelle un peu les vues de l'Estaque par Cézanne.

Dans *Végétation tropicale*, la baie de Saint-Pierre observée depuis les hauteurs de ce Morne d'Orange qui domine le volcan (une vue typique de carte postale) de la montagne Pelée - est transfigurée en un décor naturel intact et luxuriant par l'expédient qui consiste à masquer artificiellement la ville derrière des taillis. Le tissu pictural uniforme constitué d'une juxtaposition de petits traits fins, sauf sur le grand papayer, le buisson fleuri et le ciel lumineux, qui sont traités avec des touches plus larges et plus allongées, les infinies nuances de vert accordées aux bleus et exaltées par les jaunes, les orangés, les bruns, donnent à ce tableau l'allure d'une somptueuse tapisserie. Avec ou sans figures, les denses sous-bois de l'intérieur de l'île, que l'artiste avait coutume de traverser pour se rendre de sa case à Saint-Pierre, conservent la structure compacte héritée des paysages de Pissarro, mais leurs couleurs sourdes, aux tons encore voisins, gagnent en vivacité. Les harmonies entre différentes tonalités de verts et le violet, le rose, l'orangé, le marron et de rares notes éclatantes de rouge, dominent et, plus que dans ses premiers tableaux bretons, c'est la couleur qui détermine, avec l'organisation des éléments de la composition, l'atmosphère émotionnelle et la valeur décorative du tableau.

Les ruptures entre les différentes périodes du travail de Gauguin sont à cette époque plus apparentes que réelles. Il suit, au fond, une démarche logique et cohérente, qui respecte un fil conducteur interne. Seuls les moyens changent : les matériaux, les techniques, les lieux. À partir de sa seconde série de céramiques (pendant l'hiver 1887-1888) et de son retour à Pont-Aven jusqu'au début de l'été, il travaille dans une direction qui semble encore relever de l'impressionnisme, mais s'en éloigne en fait beaucoup par son rapport avec le motif et sa méthode. Il persiste en effet à dissocier l'observation du paysage et les dessins d'après nature de modèles en pose, n'hésitant pas à reprendre pour de nouveaux tableaux des dessins qui remontent à son premier séjour en Bretagne. Le travail en atelier, de mémoire, conformément aux conseils qu'il a prodigués à Schuffenecker, finit donc par remplacer ou presque le travail en plein air. Il revient sur des motifs et des personnages qui lui plaisent, pour des raisons affectives et dans un souci d'approfondissement : son petit berger en blouse bleue, croqué dans différentes positions dans un de ses carnets, reparaît ainsi dans diverses toiles. L'une d'elles, *Petit berger breton*, est un paysage de collines en hiver, une ample vue à l'horizon très haut qui rappelle les paisibles scènes rurales de Pissarro. Elle est peinte à petits traits légers, avec des couleurs sourdes, des verts, des bleus, des bruns rougeâtres, et quelques rares contrastes lumineux dans le rose de la route ou le blanc de la coiffe de la paysanne penchée pour ramasser des brindilles. Cette paysanne provient d'un pastel de 1886 et semble légèrement disproportionnée par rapport au garçon, mais Gauguin se soucie peu de réalisme mathématique. Dans *Petit Breton arrangeant son sabot*, le même berger en blouse bleue revient - tiré, comme la vache, de croquis de 1886 - mais, curieusement, son attitude rappelle la position d'une danseuse ajustant son chausson dans un pastel de Degas que possédait Gauguin. L'horizon élevé - avec la colline Sainte-Marguerite et, au loin, Pont-Aven et ses maisons

blanches vues à travers l'enchevêtrement décoratif des branches -, la composition basée sur des diagonales, les personnages relégués dans un coin, sont récurrents dans les toiles de cette période.

Bretonnes et veau est un tableau très étudié, sans doute peint en atelier pour renforcer l'expressivité du motif. Il repose sur un schéma en X, avec des figures cantonnées près du bord gauche. Quant au tracé des contours, il simplifie et synthétise les formes colorées. Un effet bidimensionnel prévaut : les Bretonnes, issues de croquis de modèles en pose (celle qu'on voit de dos provient du dessin de 1886 qui servit aussi pour le vase cylindrique réalisé avec Chaplet), et le veau semblent plaqués sur le paysage, tandis que le profil des coiffes dessine des arabesques décoratives.

Un certain attachement à l'impressionnisme, trahi par une dépendance persistante envers les études d'après nature, par le maintien d'une perspective centrale et par des touches hachées de teintes plutôt claires (dans quelques vues printanières ou du début de l'été notamment, comme ce *Paysage breton avec cochons*, aux couleurs lumineuses, où l'on retrouve le petit berger en blouse bleue), coexiste avec un processus de détachement vis-à-vis de la peinture sur le motif. Dissocier les différentes phases de son travail (la constitution d'un répertoire de personnages, au fil de ses dessins de figures, et l'étude des paysages) permet à Gauguin d'accorder plus de place à l'aspect mental de sa peinture, à la conception, de mieux se concentrer sur les rapports qu'il souhaite établir entre contours et formes colorées. « Je suis en train de faire une gavotte bretonne dansée par trois petites filles au milieu des foins. Je crois que vous en serez content. Ce tableau me paraît original et j'en suis assez content au point de vue du dessin », écrit-il ainsi à Théo Van Gogh en juin 1888 à propos de *La ronde des petites Bretonnes*, une scène de danse paysanne située sur un pré derrière l'église de Pont-Aven, dans une sereine atmosphère de début d'été. Ce que Gauguin entend par « dessin », c'est la caractérisation de ses trois fillettes et le

rythme de leurs silhouettes se tenant par la main. Bien délimitées par des contours nets, ses petites Bretonnes sont définies par les détails de leur costume - leurs coiffes, leurs cols, leurs tabliers, leurs sabots - ainsi que par le contraste entre leurs robes sombres et le fond lumineux du pré, rendu par un hachurage léger de divers tons de jaune.

Le thème de la baignade constituait alors un véritable banc d'essai de la recherche de formes d'expression dépassant l'impressionnisme. Puvis de Chavannes, Seurat, Cézanne se sont tous attaqués à ce motif qui, en vertu des antécédents classiques du nu, leur permettait de s'appuyer sur la valeur universelle du grand art du passé pour conférer davantage force à leurs solutions novatrices. Gauguin y revient lui aussi, maintenant qu'il se trouve au seuil de cette peinture « très peu exécutée » qu'il appelle de ses vœux, à l'exemple des compositions radicalement antinaturalistes des estampes japonaises ; il ne perd pas pour autant de vue les nus et les baigneuses de Puvis et de Degas. Ses *Jeunes baigneurs bretons* (1888) partent de dessins d'après nature, transférés avec leurs contours bien marqués sur une portion réduite de paysage sans ciel, très construit et complété par un amoncellement indistinct de vêtements par terre. Plus audacieuse, une autre scène de baignade, *Enfants luttant*, constitue une transposition personnelle de motifs de Degas et de Puvis de Chavannes en une « lutte bretonne » exécutée, se plaît-il à affirmer, par « un sauvage du Pérou ». La perspective et la ligne d'horizon une fois abolies, les seules indications spatiales restantes sont la diagonale du bord de la rivière et les vêtements empilés dans l'herbe comme les objets d'une nature morte. Les figures sont dessinées de façon sommaire, avec des déformations volontaires, simplifiées comme pour les estampes japonaises et aplaties sur un pré uniforme. C'est un tableau « *sans exécution* comme les crépons japonais », écrit-il à Vincent Van Gogh dans une lettre de la fin juillet, qui contient un croquis de cette œuvre.

64

◆ Bretonne assise
(ci-dessus, en haut),
1886 ; fusain et
pastel ; 32,8 x 48 cm ;
Art Institute, Chicago.
Gauguin reprendra ce
motif sur deux vases
et un éventail. Le
dessin est dédicacé
au peintre Charles
Laval, dont il a fait
la connaissance
à Pont-Aven.

◆ Jeune Bretonne
assise (ci-dessus,
en bas), 1886 ; fusain
et aquarelle ;
30,5 x 42,2 cm ;
musée des Arts
africains et océaniens,
Paris.
Une étude pour La
bergère bretonne, qui
servira aussi de motif
décoratif pour
plusieurs céramiques
de l'hiver 1886-1887.

◆ Bretonne glanant
(page ci-contre, en
haut), 1886 ; pastel ;
46 x 38 cm ;
collection Mr and Mrs
Paul Mellon,
Upperville (Virg.).
La pose de cette
paysanne renvoie aux
glaneuses de Millet et
à tout ce que l'art de
Pissarro devait à ce
maître.

◆ Bretonne de face,
tête de profil vers la
gauche (page ci-
contre, en bas),
1886 ; fusain et
pastel ; 44 x 31 cm ;
collection particulière.
Ce dessin a servi
d'étude pour une
figure de La danse
des quatre Bretonnes
et du vase cylindrique
réalisé avec Chaplet.

66

◆ Les quatre Bretonnes (La danse des quatre Bretonnes), 1886 ; huile sur toile ; 72 x 91 cm ; Neue Pinakothek, Munich. L'étude de paysannes en pose au fil de nombreux croquis débouche ici sur un résultat si original et si abouti qu'une date plus tardive a parfois été proposée pour ce tableau. Gauguin y tire parti des coiffes légères et des lourdes jupes du costume breton pour créer des formes décoratives, définies par des contours en arabesques. Le traitement du décor naturel, à coups de brosse hachés ou en virgule et avec des touches de lumière, reste impressionniste.

◆ Jeunes Bretons au bain, *1886 ; huile sur toile ; 60 x 73 cm ; Museum of Art, Hiroshima.*
Dès son premier séjour en Bretagne, Gauguin revient sur le thème de la baignade, partagé entre son intérêt pour les qualités purement plastiques et décoratives du nu et une tendance au réalisme. Ce tableau témoigne d'un dialogue serré, quoique à distance, avec l'impressionnisme, et trahit peut-être le désir de se mesurer à cette Baignade à Asnières *qui avait fait connaître Seurat.*

◆ Les lavandières à Pont-Aven *(page ci-contre), 1886 ; huile sur toile ; 71 x 90 cm ; musée d'Orsay, Paris.* « Je travaille ici beaucoup et avec succès : on me respecte comme le peintre le plus fort de Pont-Aven ; il est vrai que cela ne me donne pas un sou de plus. Mais cela prépare peut-être l'avenir », écrit Gauguin à Mette en juillet 1886. Il parsème alors de petites figures ses paysages des environs de Pont-Aven, structurés en masses compactes et peints avec de caractéristiques hachures de couleurs sourdes aux tons voisins.

◆ La bergère bretonne *(ci-dessus), 1886 ; huile sur toile ; 60,4 x 73,3 cm ; Laing Art Gallery, Newcastle-upon-Tyne.* Un des carnets de dessin de Gauguin contient des croquis préparatoires pour les animaux et la bergère assise de cette toile (voir page 64), et les mêmes motifs reparaissent sur plusieurs de ses céramiques de 1886-1887. Étudié d'après nature, son paysage cadré et peint à la manière impressionniste révèle une propension à limiter la scène en réduisant le ciel, ainsi qu'à choisir des points de vue surélevés et des lignes directrices obliques.

70

◆ Autoportrait à l'ami Carrière, *1886 ; huile sur toile ; 40,5 x 32,5 cm, National Gallery of Art, Washington. Vers 1890-1891, quand Gauguin se mettra à fréquenter les cercles symbolistes, il dédicacera au peintre Eugène Carrière cet autoportrait antérieur, dont le fond rappelle celui d'un autoportrait* breton de Laval. Le tableau était d'ailleurs initialement dédié à Laval, mais Gauguin le récupéra sans doute quand leurs rapports se gâtèrent à cause de Madeleine Bernard, qu'ils courtisaient tous deux. Il existe également un portrait de Gauguin par Carrière.

◆ La femme au chignon *(page ci-contre), 1886 ; huile sur toile ; 46 x 38 cm ; Bridgestone Museum of Art, Tokyo.* Gauguin a pris l'habitude d'insérer dans ses natures mortes et ses portraits certaines de ses céramiques, signe de son attachement aux plus réussies de ces créations fantaisistes et de l'unité qui préside à toute son œuvre. Le vase qu'on voit ici (perdu depuis), un de ses premiers, figure aussi dans la Nature morte au profil de Laval datant de la même époque. On peut le lui attribuer à coup sûr car il en a fait un croquis dans une lettre à sa femme.

72

◆ Jardinière décorée de motifs de « La bergère bretonne » et de « La toilette » (ci-dessus), 1886-1887 ; grès partiellement émaillé décoré à la barbotine ; 27 x 40 x 22 cm ; collection particulière. Cet objet reflète les relations entre les différents domaines de recherche de l'artiste : la peinture, la sculpture et la poterie. On y retrouve en effet des motifs de dessins bretons qu'il a aussi utilisés dans des tableaux et, au dos, le personnage d'un de ses bas-reliefs en bois, La toilette, de 1882. Le décor à la barbotine, au relief peu prononcé, et l'emploi localisé de vernis correspondent à une volonté d'explorer toutes les possibilités expressives de la céramique.

◆ Pot décoré d'une tête de femme, 1887-1888 ; grès émaillé ; h. 17,5 cm ; musée du Petit Palais, Genève. Pour ce vase et d'autres réalisés à son retour de la Martinique, Gauguin s'est inspiré de poteries péruviennes anthropomorphes. Partant ainsi de formes d'expressions primitives, il a abouti à des créations céramiques totalement inédites. Véritables sculptures, elles s'appuient sur les progrès qu'il a accomplis dans l'intégration du décor à la structure du vase et dans la maîtrise du matériau. On notera le contraste entre des parties mates et des parties émaillées, dont les teintes flammées ont été obtenues par cuisson de divers oxydes métalliques.

◆ Pot orné d'une figure bretonne, *1886-1887 ; grès émaillé ; 15 x 24 x 11 cm ; Kunstindustrimuseet, Copenhague.* Gauguin a voulu dépasser le caractère utilitaire de la poterie en inventant des formes originales et infiniment variées. *Pour lui, la céramique* représentait un moyen de créer parmi d'autres où devaient intervenir la fantaisie et l'imagination, mais c'étaient en définitive le matériau et les techniques employées qui conditionnaient la qualité expressive de l'œuvre, déterminant son caractère.

74

◆ Pot en forme de buste de jeune fille : portrait de Jeanne Schuffenecker (ci-contre), 1887-1888 ; grès non émaillé ; h. 19 cm ; collection particulière. S'inspirant des vases-portraits péruviens qu'il connaissait *depuis son enfance, Gauguin a réalisé plusieurs croquis de vases anthropomorphes et a fini par réaliser des sortes de sculptures évidées à l'intérieur. Il s'agit ici d'un portrait de la fille de son ami Schuffenecker.*

◆ Vase décoré d'une figure de Bretonne, *1886-1887 ; grès brun-rouge non émaillé ; h. 13,6 cm ; Kunstindustrimuseet, Copenhague. Dans ce vase, un de ses premiers, Gauguin avait cherché à recréer* un style rustique. *La forme est simple, massive, la matière grossière, et la polychromie reste discrète. Très stylisée, la figurine en relief s'associe à d'autres motifs décoratifs à peine indiqués.*

◆ Vase décoré de scènes bretonnes, 1886-1887 ; grès émaillé à décor incisé rehaussé d'or ; h. 29,5 cm ; musées royaux d'Art et d'Histoire, Bruxelles. Chaplet façonna ce vase au tour, qui fut ensuite décoré par Gauguin. La maîtrise de la ligne et la simplification des motifs, aux contours gravés et relevés d'or, nous montrent un Gauguin sur la voie du synthétisme, processus que la technique de la céramique elle-même favorisait. Il s'agit d'une œuvre clé pour la genèse de son style cloisonniste.

76

◆ Bord de mer (1), 1887 ; huile sur toile ; 54 x 90 cm ; Ny Carlsberg Glyptotek, Copenhague.
Cette vue est la plus grande de celles que Gauguin a peintes de la plage située entre Saint-Pierre et le village du Carbet. Le point de vue surélevé met en valeur le cadre naturel, épargné par la civilisation moderne, que l'artiste était allé chercher en Martinique. La mise en page, avec les arabesques décoratives du rideau d'arbres, rappelle une estampe de Hokusai et marque chez Gauguin le début d'une tendance à intégrer habilement des modèles japonais dans ses compositions. Le souvenir des vues de l'Estaque de Cézanne transparaît aussi : dans les bleus et les verts intenses contrastant avec l'ocre de la plage, dans l'emboîtement des plans du paysage et dans les larges touches.

◆ Bord de mer (2), 1887 ; huile sur toile ; 46 x 61 cm ; collection particulière. Dans cette seconde vue de la plage d'Anse Turin, reprise de la précédente d'un point de vue plus rapproché, les êtres humains acquièrent davantage d'importance. Il s'agit de porteuses, alignées comme sur une frise classique, et de personnages assis préalablement étudiés sur des dessins. « Ce qui me sourit le plus, ce sont les figures, et chaque jour c'est un va-et-vient continuel de négresses accoutrées d'oripeaux de couleur avec des mouvements gracieux variés à l'infini », écrit alors le peintre à son ami Schuffenecker.

78

◆ Végétation
tropicale, *1887 ;
huile sur toile ;
116 x 89 cm ;
National Gallery of
Scotland, Édimbourg.*
Dans cette vue de la
baie de Saint-Pierre et
de la montagne Pelée
depuis les hauteurs
du Morne d'Orange,
la ville est
artificiellement
occultée par des
fourrés au profit
de cette nature
martiniquaise
luxuriante dans
laquelle Gauguin a dit
s'être senti lui-même
pour la première fois.
La facture est

complexe et soignée :
un fin et minutieux
hachage crée des
formes compactes,
aux couleurs
profondes et
chatoyantes, se
rapprochant de l'effet
décoratif d'une
tapisserie.

◆ Allées et venues
(Martinique) *(page
ci-contre), 1887 ;
huile sur toile ;
72,5 x 92 cm ;
collection Thyssen-
Bornemisza, Madrid.*
A la Martinique,
Gauguin se détache
résolument de
l'impressionnisme,

malgré le maintien
d'un type de
composition à la
Pissarro comportant
des taillis et des
arbres, peu de ciel
et quelques
personnages.
Il maîtrise mieux
sa touche, adopte
des couleurs plus
franches, plus vives,
et recherche un
rythme décoratif
d'ensemble. Il était, à
juste titre, persuadé
qu'il allait ramener en
France des œuvres
tout à fait nouvelles,
par leurs motifs et par
leur style, et qui
feraient sensation.

80

◆ Tête de jeune Martiniquaise *(page ci-contre), 1887 ; pastel ; 36 x 27 cm ; Rijksmuseum Vincent Van Gogh, Amsterdam.* « Actuellement je me borne à faire croquis sur croquis afin de me pénétrer de leur caractère et ensuite je les ferai poser », écrit Gauguin à Schuffenecker début juillet 1887. C'est à travers ces dessins que la figure humaine deviendra un élément essentiel de sa peinture.

◆ Aux mangos (La récolte des fruits), *1887 ; huile sur toile ; 89 x 116 cm ; Rijksmuseum Vincent Van Gogh, Amsterdam.* Ce tableau est un des plus construits que Gauguin ait rapportés de la Martinique, du fait de l'importance qu'y prennent les figures et de l'orientation des hachures différenciant les masses. Il fut acheté par Théo Van Gogh, dont le frère appréciait beaucoup l'atmosphère antillaise.

82

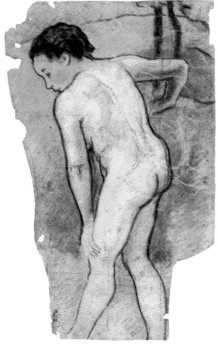

◆ La baignade (en haut), 1887 ; huile sur toile ; 87,5 x 70 cm ; Museo Nacional de Bellas Artes, Buenos Aires.

◆ Baigneuse, étude pour « La baignade » (ci-contre), 1886-1887 ; fusain et pastel ; 57,3 x 34,7 cm ; Art Institute, Chicago. Le tableau a posé quelques problèmes de datation. Par rapport aux œuvres de l'été 1886 (voir page 67), la composition, les personnages, la technique reflètent une expérience accrue. L'arbre du premier plan coupe la diagonale formée par les deux baigneuses et les ondulations du paysage sans ciel ; la finesse des touches correspond au style des toiles de la Martinique et la baigneuse de dos, reprise en 1889 dans Ondine, s'inspire de pastels de Degas dont Gauguin avait fait des croquis lors de la dernière exposition impressionniste. Le dessin de baigneuse penchée était à l'origine une étude de 1886, dans l'esprit des nus de Degas. Gauguin l'a retravaillé un an plus tard en atténuant son réalisme, pour en faire une œuvre à part entière.

◆ Hiver (Petit Breton arrangeant son sabot), 1888 ; huile sur toile ; 90,5 x 71 cm ; Ny Carlsberg Glyptotek, Copenhague.
À Pont-Aven, Gauguin s'est efforcé, par d'innombrables croquis, de saisir puis de restituer ce qu'il trouvait de caractéristique dans la campagne des environs et chez les gens. Cette procédure laborieuse est perceptible dans ses tableaux, de plus en plus souvent mis au point en atelier, à travers la différence de traitement entre les paysages, qui conservent le naturel de sa période impressionniste, et les figures en pose.

84

◆ Paysage breton avec cochons, *1888 ; huile sur toile ; 73 x 93 cm ; collection particulière, Los Angeles. Avec ses couleurs gaies et saturées de lumière, cette vue printanière a été brossée dans un esprit plutôt impressionniste. Sur fond de colline* Sainte-Marguerite, *elle montre une des prairies dominant Pont-Aven, dont on aperçoit le clocher et les maisons blanches : un paysage familier, à l'instar de ce petit paysan à blouse bleue et chapeau rond que Gauguin a représenté à plusieurs reprises (voir page 83).*

◆ Petit berger breton, 1888; *huile sur toile;* *89 x 116 cm; musée* *national d'Art* *occidental, Tokyo.* *Dans cet ample* *paysage étudié sur* *le motif et peint avec* *des tons sourds,* *dans une gamme* *de couleurs restreinte,* *Gauguin a inséré* *son habituel garçon* *en blouse bleue* *et une ramasseuse* *de fagots, tirés* *de dessins* *de modèles en pose.*

86

◆ Bretonnes et veau, *confiné dans le coin* *l'intérêt de Gauguin* La vision après
1888 ; huile sur toile ; *gauche renforce* *pour le costume local.* le sermon
91 x 72 cm ; Ny *l'obliquité de la* *Tirées de dessins* de par leurs
Carlsberg Glyptotek, *composition, induite* *de 1886, ces* silhouettes
Copenhague. *par la configuration* *paysannes annoncent* en arabesques
Le groupe de femmes *du chemin, et trahit* *les Bretonnes de* décoratives.

◆ La ronde des petites Bretonnes, *1888 ; huile sur toile ; 71,4 x 92,8 cm ; National Gallery of Art, Washington. Gauguin a situé la danse de ces trois* fillettes dans un champ surplombant l'église de Pont-Aven qu'il a représenté dans plusieurs autres de ses toiles bretonnes. Le traitement minutieux du paysage et le style de l'ensemble rattachent ce tableau à l'impressionnisme, tandis qu'un décorativisme croissant s'affirme dans l'enchaînement rythmique des figures et le rendu des costumes. La danse paysanne deviendra par la suite un des motifs favoris des peintres de l'école de Pont-Aven.

88

◆ Jeunes baigneurs bretons, 1888 ; huile sur toile ; 92 x 73 cm ; Kunsthalle, Hambourg.
Les contours bien marqués des personnages montrent que l'artiste se rapproche du cloisonnisme, mais l'effet d'ensemble reste assez impressionniste. Même si Gauguin proclame - dans une lettre à Schuffenecker du 8 juillet 1888 où il fait allusion à des nus qu'il est en train de peindre - s'être affranchi de l'influence de Degas, celle-ci semble encore très présente, tout comme l'exemple des nus des grandes compositions décoratives de Puvis de Chavannes.

◆ Jeune baigneur breton avec reprise du pied gauche en haut à droite (ci-contre), 1888 ; sanguine, pastel et fusain ; 60,2 x 41,5 cm ; musée du Louvre, département des Arts graphiques (Orsay), Paris.
Dessinée au recto d'un croquis de Bretonnes, cette étude pour le baigneur debout du tableau précédent rappelle les dessins académiques par la reprise d'un détail dans un coin de la feuille. La posture et le style évoquent Degas. L'exécution soignée et l'accentuation des contours ont fait penser à un possible remaniement d'un dessin d'après nature de 1886.

◆ Nature morte à l'éventail, *vers 1888 ; huile sur toile ; 50 x 61 cm ; musée d'Orsay, Paris.* Dans une lettre à son frère Théo, Vincent Van Gogh mentionne « un pot magnifique avec deux têtes de rats » réalisé par Gauguin à son retour de la Martinique. Il s'agit, privé toutefois de ses deux têtes, du curieux vase aujourd'hui disparu de cette nature morte à l'organisation plutôt conventionnelle, et dont la datation est controversée. Vers la même époque, la céramique et l'éventail ont servi de fond à un portrait de Mme A. Kohler.

La découverte du synthétisme

Fin septembre 1888, Gauguin évoque, dans une lettre à Vincent Van Gogh, « un tableau religieux » qu'il vient de terminer, *La vision après le sermon*. Il décrit la composition et les personnages, indique les couleurs, joint un croquis et conclut : « Je crois avoir atteint dans les figures une grande simplicité rustique et *superstitieuse*. Le tout très sévère. [...] Pour moi dans ce tableau le paysage et la lutte n'existent que dans l'imagination des gens en prière par suite du sermon, c'est pourquoi il y a contraste entre les gens nature et la lutte dans son paysage non nature et disproportionnée. » Les nouveautés introduites à Pont-Aven par le jeune Émile Bernard, avec ses natures mortes et ses portraits cloisonnistes, et le synthétisme radical de ses *Bretonnes dans la prairie*, constituent autant de suggestions techniques que Gauguin saisit au vol pour orienter cette peinture simplifiée, « sans exécution », à laquelle il est parvenu, vers l'abstraction et le symbolisme. Dans sa *Vision après le sermon*, la réalité des femmes en prière et de la petite vache coexiste avec l'imaginaire lutte biblique de Jacob et de l'ange, qui s'est matérialisée dans l'esprit des paysannes. Les deux scènes, séparées par la diagonale d'un tronc d'arbre, suivant un procédé cher aux artistes japonais, sont unifiées par le sol rouge, espace de l'imaginaire. Les personnages sont dessinés et répartis en fonction de critères décoratifs ; leurs visages rappellent des masques, et les grandes coiffes bretonnes sont ramenées à de simples arabesques.

Les lignes et les couleurs synthétiques, les formes cernées, les références explicites aux estampes japonaises, permettent à Gauguin d'obtenir ce que Bernard et lui appellent de la « peinture d'enfant ». Celle-ci est parfaitement illustrée par sa *Nature morte aux trois petits chiens* d'août 1888, dont l'allure japonisante provient autant de son modèle (une estampe de Kuniyoshi montrant des chatons à la place des chiots) que de son style : simplification du dessin et de la couleur, quasiment limitée au blanc et au bleu, suppression presque totale des ombres et du modelé, traitement fort peu réaliste des objets sur la table. Le point de vue plongeant élimine la perspective et, au lieu de s'échelonner en pro-

fondeur, les différents éléments figurent sur des registres superposés. Il en résulte une peinture délibérément malhabile, rudimentaire, fortement expressive. La représentation d'objets sur un plan sans recourir aux méthodes traditionnelles de restitution de l'espace est le problème auquel s'attaquent cette œuvre et d'autres natures mortes de la même époque. La *Fête Gloanec* cadre ainsi une portion de guéridon vermillon, recouverte d'objets évoquant des festivités : un bouquet de fleurs, un gâteau breton, des fruits. Quant à la *Nature morte aux fruits* dédicacée à Laval, elle montre un autre bout de table au bord fuyant, vu d'en haut, parsemé d'objets qui semblent glisser vers le bas, à peine arrêtés par quelques ombres bleues. Le personnage tronqué du coin supérieur gauche n'est plus un simple truc formel, comme chez Degas : il semble plutôt revêtir un sens symbolique, à cheval entre la tentation suggérée par les fruits et l'allusion à une condition humaine difficile. Et, de fait, son visage est identique à celui du personnage de *Misères humaines* que Gauguin peindra à Arles.

Ses paysages bretons de cette période sont tous caractérisés par un radicalisme extrême, dû à des contours appuyés et à une synthèse poussée entre forme et couleur. *Marine avec vache*, plus connu sous le titre abusivement dramatique qui lui fut attribué par la suite, *Au dessus du gouffre*, est une vue du haut d'une falaise à pic près du Pouldu. Les rochers et la mer y sont résumés en quelques plages de couleur, encastrées les unes dans les autres comme les pièces d'un puzzle et traitées en aplats ou remplies de petites touches compactes ; unique note blanche, l'écume des vagues se détache sur une violente harmonie de couleurs plutôt sombres : orangé, vert, bleu, brun. Quant à *La vague*, inspirée d'une gravure sur bois de Hiroshige, *Le tourbillon*, son usage arbitraire de la couleur, avec sa plage de sable vermillon, la prédominance des arabesques décoratives et l'abolition de la ligne d'horizon, en font une des marines les moins naturalistes de Gauguin.

Les portraits et les autoportraits de cette période de travail au contact d'Émile Bernard privilégient la restitution du caractère par rapport à la

ressemblance physique, et les deux artistes ont représenté la jeune sœur de Bernard, Madeleine, suivant ce principe. Gauguin la montre assise, simplement vêtue d'un chemisier bleu à col montant et d'une ample veste négligemment posée sur ses épaules, avec un visage aux traits accusés et stylisés. Le dessin accroché au mur du fond, dont seul le bas est visible, a été identifié comme une gravure de Forain, *À l'Opéra*, montrant de jeunes danseuses entourées de vieux messieurs. Il pourrait s'agir d'une subtile allusion au contraste entre la vertu de Madeleine et les mœurs légères des milieux du spectacle.

L'autoportrait de septembre 1888, intitulé *Les misérables* et dédié à Van Gogh, va encore plus loin dans cette recherche d'expression du caractère et s'éloigne, par son symbolisme affiché, des autoportraits précédents de l'artiste. Gauguin s'y représente en buste, de trois quart contre un fond « parsemé de bouquets enfantins », avec dans un coin une ébauche de ce portrait d'Émile Bernard qu'il n'a pu se résoudre à faire. La mise en page est oblique, à la Degas. Les traits sont ressemblants, mais accentués pour exprimer l'abattement et la tristesse. C'est bien lui, et c'est en même temps une incarnation du « peintre impressionniste », non souillé par « le baiser putride » de l'art académique, incompris et persécuté par la société. Cela ressort du titre inscrit sur la toile, emprunté au roman de Victor Hugo, de l'allusion au personnage de Jean Valjean, des fleurs du fond, emblèmes de pureté virginale, et du style : la teinte rougeâtre du visage entend ainsi suggérer la flamme intérieure qui nourrit la création artistique, par une analogie significative avec la couleur de la poterie cuite à grand feu.

C'est ce Gauguin sur la voie de l'« abstraction complète » qui se mesure à Van Gogh, peignant les mêmes motifs, pendant les deux mois qu'il passe à Arles de la fin octobre à la fin décembre 1888. Les toiles qu'il peint alors reflètent de fortes divergences théoriques et stylistiques avec Vincent, qu'il a toujours tenu à souligner, mais aussi un grand enrichissement thématique et formel. Le radicalisme de ses dernières œuvres de Pont-Aven s'affine en Provence ; la rencontre avec

une nature différente, une lumière plus intense et des motifs nouveaux, même si ceux-ci le déçoivent au début, rendra son abstraction plus méditée et plus expressive.

« Je suis à Arles tout dépaysé, écrit-il à Bernard en décembre, tellement je trouve tout petit, mesquin, le paysage et les gens. Vincent et moi nous sommes bien peu d'accord en général surtout en peinture. Il admire Daumier, Daubigny, Ziem et le grand Rousseau, tous gens que je ne peux pas sentir. Et par contre il déteste Ingres, Raphaël, Degas, tous, gens que j'admire [...]. » Du reste, Gauguin n'avait-il pas noté dès son arrivée : « C'est drôle, Vincent voit ici du Daumier à faire, moi au contraire je vois du Puvis coloré à faire mélangé de japon. Les femmes sont ici avec leur coiffure élégante, leur beauté grecque. Leurs châles formant plis comme les primitifs, sont dis-je des défilés grecs. La fille qui passe dans la rue est aussi dame que n'importe quelle autre et d'une apparence aussi vierge que la Junon. Enfin, c'est à voir. En tous cas, il y a ici une source de beau *style moderne*. » En effet, si Van Gogh était poussé par une sorte d'urgence romantique à s'exprimer avec vigueur, multipliant les empâtements, les superpositions de couleurs et les enchevêtrements de touches, Gauguin détestait pour sa part « les hasards de la pâte, comme chez Monticelli » et le « tripotage de la facture », préférant obtenir des surfaces lisses à coups de brosse légers, en hachurage ou avec des aplats.

La confrontation sur les même thèmes de ces deux personnalités si différentes mais d'une envergure artistique comparable est captivante. Chacun apporte ses propres solutions à l'exigence commune d'accorder œil et esprit, motif naturel et sensibilité individuelle. Leur divergence de fond réside dans la valeur à attribuer à la réalité objective. Les mois précédents, Van Gogh avait travaillé dans le sens d'une accentuation expressive du dessin et de la touche, mais toujours sur le motif : « je n'invente pas le tout du tableau », avouait-il à Bernard. Et il finira par en revenir à la même position après le départ de Gauguin, même s'il a un moment reconnu que « les choses d'imagination certes prennent un caractère plus mystérieux ». Il dira d'ailleurs par la suite que la voie de l'abstraction est un « terrain enchanté », mais conduit à une impasse.

Peu avant l'arrivée de Gauguin, Vincent avait peint une série de vues des jardins publics d'Arles, et notamment une qu'il appelait « le jardin d'un poète », voulant à la fois évoquer, dans ce tableau destiné à orner la chambre de son ami, l'ancien poète des environs, Pétrarque, et le « nouveau poète » Gauguin. Or ce dernier, face à un des motifs préférés de Vincent, procède tout autrement : *Dans le jardin de l'hôpital d'Arles* (*Vieilles femmes à Arles*) part ainsi de croquis du banc, de la fontaine, de femmes emmitouflées dans leurs châles, autant d'éléments qui, sur la toile, seront stylisés et disposés suivant un ordre abstrait et décoratif. Le point de vue surélevé supprime l'horizon, mettant au premier plan la palissade et le buisson, avec leur opposition de vert et de rouge vif. Les arbustes, paillés pour les protéger du gel, sont réduits à de simples cônes orangés qui contrastent, par leur forme et leur couleur, avec les silhouettes sombres des Arlésiennes et le triangle blanc de leurs châles. De larges aplats de couleurs vives alternent en outre avec des zones remplies de petites touches diagonales ou horizontales.

Les Alyscamps est le premier motif que les deux peintres ont traité simultanément, et les deux versions qu'en a données Gauguin diffèrent beaucoup des quatre de Van Gogh. Située à l'extrémité du vieil Arles, cette antique nécropole romaine qui avait aussi abrité des sépultures chrétiennes était un lieu chargé de souvenirs : une « mélancolique allée de cyprès le long desquels s'alignent d'antiques sarcophages, vides, moussus et mutilés », avait noté Henry James. Au fond s'élevait l'église romane Saint-Honorat, avec sa coupole surmontée d'une tourlanterne hexagonale. On aperçoit cette tour au fond de la vue de Gauguin conservée au musée d'Orsay, qui exclut en revanche les sarcophages. L'espace est structuré en X. Les lignes de fuite du talus et du canal convergent sur l'église et le groupe de femmes, tandis que le buisson vermillon et le rideau de peupliers oran-

gés traduisent, par leurs couleurs arbitraires, l'éclat de la lumière du Midi. Quoique très différents de ceux de Van Gogh, les paysages que Gauguin peint à Arles présentent avec ces derniers certaines affinités, qui s'expliquent en partie par les relations croisées des deux artistes avec Émile Bernard pendant l'été précédent. Van Gogh venait de peindre une série de meules avec des touches vibrantes et saturées de couleur, conférant à ces motifs chers à Millet un élan et une monumentalité qui les transmuaient en visions cosmiques universelles. Or il avait envoyé à Bernard, peu avant le départ de ce dernier pour Pont-Aven, des dessins de ces toiles. Dans *Ferme à Arles*, Gauguin s'inspire de ces meules de Van Gogh, mais tire parti de leur puissante structure pour une étude plus attentive de la composition, où la forme massive de la meule sert de pivot central et garantit la solidité d'un agencement complexe d'éléments géométriques. « Involontairement ce que j'ai vu de Cézanne me revient à la mémoire, parce que lui a tellement [...] donné le côté âpre de la Provence », avait écrit en juin Vincent à son frère. Gauguin est lui aussi spontanément porté, par ce contact avec la région où vivait et travaillait Cézanne, à subir l'influence de la peinture de cet aîné, à qui il doit la stabilité de ses vues et leur touche constructive, en traits parallèles.

Au café et *Vendanges à Arles* (*Misères humaines*) sont deux thèmes que Van Gogh a également traités, mais dans un esprit très différent. « J'ai fait aussi un café mais que Vincent aime beaucoup et que j'aime moins, écrit Gauguin à Bernard à propos du premier. Au fond ce n'est pas mon affaire et la couleur locale canaille ne me va pas. [...] C'est affaire d'éducation et on ne se refait pas [...] la figure de premier plan est beaucoup trop comme il faut. » Peu captivé par l'atmosphère de ce café de la Gare où Vincent avait ses habitudes, Gauguin souhaite néanmoins rendre hommage à son ami en mettant en scène des personnages dont celui-ci avait fait le portrait (Mme Ginoux, qui tenait cet établissement, puis, au fond, le facteur Roulin et le zouave Milliet) et en employant les mêmes oppositions de couleurs que lui : vert, rouge, ocre. Il donne toutefois à ce motif un autre

sens, plus détaché et vaguement symbolique. Alors que Van Gogh avait voulu, dans son *Café de nuit* « exprimer avec le rouge et le vert les terribles passions humaines », Gauguin restitue simplement par ses couleurs le décor de l'endroit tout en suggérant, par ses volutes de fumée bleutées, une réflexion sur la vanité des passions humaines.

La scène de vendanges de *Misères humaines* est née d'une impression visuelle face à une vigne qu'ils ont tous deux commencé à peindre à la mi-novembre. Van Gogh en a fait *La vigne rouge*. Gauguin en tire quant à lui, comme il l'écrit à Théo, une « pauvresse bien ensorcelée en plein champ de vignes rouges ». Il décrit ainsi ce tableau à Bernard : « Des vignes pourpres formant triangle sur le haut jaune de chrome. À gauche Bretonne du Pouldu noir sombre gris. Deux Bretonnes baissées à robes bleu vert clair et corsage noir. Au premier plan terrain rose et pauvresse en cheveu orange chemise blanche et jupe "terre verte avec du blanc". Le tout fait au gros trait rempli de tons presque unis avec le couteau très épais sur de la *grosse toile à sac*. C'est un effet de vignes que j'ai vu à Arles. J'y ai mis des Bretonnes. Tant pis pour *l'exactitude*. » La malheureuse à la mine découragée, accablée par un inéluctable sentiment de culpabilité, synthèse d'extrême misère humaine et féminine, semble avoir été inspirée par une momie péruvienne conservée au musée de l'Homme ; elle revêt une valeur de figure négative, dont l'efficacité lui vaudra d'être reprise dans des œuvres ultérieures.

Ces aspects bretons qu'il a désormais assimilés, Gauguin les intègre aussi à ses *Lavandières à Arles* - une composition sans ciel, au dessin anguleux et aux formes simplifiées, emboîtées les unes dans les autres - ainsi qu'à une autre toile magnifique, *Dans le foin*, image d'une paysanne de dos nue jusqu'à la taille, dans l'attitude de la femme du premier plan de *La mort de Sardanapale* (1827) de Delacroix. « [...] Un coucher de soleil citron malade - mystérieux d'extraordinaire beauté » que Vincent décrit à son frère dans une lettre, a en revanche servi de point de départ aux *Arbres bleus*, prototype des paysages simplifiés et déco-

ratifs chers aux futurs nabis. S'opposant à la haute ligne d'horizon, les verticales des troncs arbitrairement teintés de bleu confèrent à cette vue une qualité décorative et antinaturaliste. Elles servent de contrepoint synthétique, abstrait, et de point d'ancrage à de larges aplats de vert, d'orangé, de jaune et aux champs qui s'étendent à perte de vue, rendus par de petites touches sensibles dans une gamme de tons infinie.

Van Gogh peignant des tournesols, exécuté peu avant le terme dramatique du séjour de Gauguin à Arles, est un portrait psychologique qui vise à saisir à la fois l'univers pictural de son ami et sa personnalité profonde. Son principal protagoniste est moins le visage hésitant et fuyant de Vincent que le bouquet de tournesols, un de ses motifs préférés.

Enfin, *La famille Schuffenecker*, son principal tableau de l'hiver 1888-1889, récapitule les acquis formels et coloristes de ses dernières œuvres de Bretagne et d'Arles, mais dans un genre nouveau pour Gauguin malgré ses multiples antécédents impressionnistes, le portrait de groupe en intérieur avec figures en pose. Au centre de la composition, Mme Schuffenecker, revêtue d'un manteau d'hiver, s'inscrit dans une structure pyramidale englobant ses deux enfants, Jeanne et le petit Paul, que le rouge de leurs propres vêtements met en relief par contraste avec l'opposition primaire de jaune et de bleu du sol et des murs : les mêmes couleurs que celles de l'estampe de Kunisada visible au fond, en un renvoi au japonisme redoublé par le motif en grille de la fenêtre de l'atelier. Le style est celui du portrait-charge, qui force les traits pour mieux faire ressortir la psychologie des personnages. La femme de Schuffenecker arbore ainsi les caractéristiques négatives qui ressortent des témoignages épistolaires de son mari : âpre, dominatrice, un peu harpie. Petit, relégué à l'écart et soumis, le « bon Schuff » est quant à lui représenté de façon plutôt caricaturale, comme le personnage de comédie du mari ridicule, devant un chevalet dont le tableau est masqué, signe du peu d'estime que Gauguin avait pour son art.

92

◆ Les enfants luttant
(page ci-contre),
1888 ; huile sur toile ;
93 x 73 cm ;
collection particulière,
Lausanne.
« [...] je viens de faire
quelques nus dont
vous serez content. Et
ce n'est pas du tout
du Degas. Le dernier
est une lutte de deux
gamins près de la
rivière - tout à fait
japonais par un
sauvage du Pérou.
Très peu exécuté
pelouse verte et le
haut blanc », écrit
Gauguin à
Schuffenecker
en juillet 1888.

◆ La vision après le
sermon (La lutte de
Jacob avec l'ange),
1888 ; huile sur toile ;
73 x 92 cm ; National
Gallery of Scotland,
Édimbourg.
Ce tableau fut
sévèrement condamné
par Pissarro : « Je ne
reproche pas à
Gauguin d'avoir fait
un fond vermillon, ni
deux guerriers luttant
et les paysannes
bretonnes au premier
plan, je lui reproche
d'avoir chopé cela
aux Japonais et aux
peintres byzantins et
autres, je lui reproche
de ne pas appliquer
sa synthèse à notre
philosophie moderne
qui est absolument
[...] antiautoritaire et
antimystique. »

94

◆ Nature morte « fête Gloanec », 1888 ; huile sur toile ; 38 x 53 cm ; musée des Beaux-Arts, Orléans.
Maurice Denis, qui posséda longtemps cette toile, a raconté que Gauguin avait dû la faire passer pour l'œuvre d'une débutante, en la signant Madeleine B. [Bernard], afin que sa destinataire, Mme Gloanec, l'accepte en cadeau pour le 15 août et daigne l'accrocher aux murs de la salle à manger de son auberge. Cette composition d'objets était en effet fort peu conventionnelle.

◆ Nature morte aux trois petits chiens (page ci-contre), 1888 ; huile sur bois ; 92 x 62,2 cm ; Museum of Modern Art, New York.
En quête de formes d'expression naïves, enfantines, Gauguin et Bernard tirent des estampes japonaises une bonne part de leur inspiration. Cette nature morte est une démonstration poussée à l'extrême de leur nouvel art, antiacadémique et antiréaliste. « Nous seuls voguons sur le vaisseau fantôme avec toute notre imperfection fantaisiste », écrit Gauguin en 1888.

96

◆ Nature morte aux fruits dédicacée à Laval, 1888 ; huile sur toile ; 43 x 58 cm ; musée Pouchkine, Moscou.
Le visage confère à l'œuvre une curieuse dimension symbolique. Alors que la composition répond, comme celle d'autres natures mortes de la même période, à des préoccupations d'ordre plastique - représenter des objets dans l'espace sans recourir aux conventions du réalisme -, la présence de ce personnage a quelque chose d'ambigu, d'autant qu'il ressemble à la femme de Misères humaines et aux portraits diaboliques de Meyer de Haan.

◆ Madeleine Bernard (page ci-contre), 1888 ; huile sur toile ; 72 x 58 cm ; musée de Peinture et de Sculpture, Grenoble. Peint au verso d'un paysage breton de facture encore impressionniste, ce portrait reflète le caractère de la jeune sœur d'Émile Bernard, gracieuse, mystique et passionnée. Malgré leur différence d'âge, Gauguin, sensible à ses inclinations intellectuelles et à son indépendance, qui auraient pu faire d'elle une femme hors du commun, en était très épris. Elle se fiancera toutefois à Laval et, en 1895, mourra, comme ce dernier, de tuberculose.

98

◆ La vague, *1888 ;*
huile sur toile ;
49 x 58 cm ;
collection particulière.
Les spectaculaires
écueils noirs du
Pouldu, qui
reviendront dans des
toiles comme La vie
et la mort *ou la*
zincographie Aux
Roches noires, *sont*
au centre de cette vue
plongeante. Traitée
avec le linéarisme
et le décorativisme
propres aux estampes
japonaises à sujet
analogue, celle-ci
reprend le choix de
couleur arbitraire
inauguré dans
La vision après
le sermon.

◆ Marine avec vache
(Au-dessus du
gouffre) *(page ci-*
contre), 1888 ; huile
sur toile ; 73 x 60 cm ;
musée des Arts
décoratifs, Paris.
« *La réalité ne lui fut*
qu'un prétexte à
créations lointaines :
il réordonne les
matériaux [...], accuse
les lignes, restreint
leur nombre [...] et
dans chacun des
spacieux cantons
que forment leurs
entrelacs, une couleur
opulente et lourde
s'enorgueillit », *notait*
Fénéon en 1889 à
propos de ce genre
de paysages, dont le
synthétisme inspirera
largement les nabis.

100

◆ Autoportrait dit
« Les misérables »,
1888 ; huile sur toile ;
45 x 55 cm ;
Rijksmuseum Vincent
Van Gogh,
Amsterdam.
« Le masque de
bandit mal vêtu et
puissant…
Le sang en rut inonde
le visage et les tons
en feu de forge qui
enveloppent les yeux
indiquent la lave de
feu qui embrase notre
âme de peintre. Le
dessin des yeux et du
nez semblables aux
fleurs dans les tapis
persans résume
un art abstrait et
symbolique. Ce petit
fond de jeune fille […]
enfantines est là pour
attester notre
virginité artistique »
(lettre à Vincent Van
Gogh, fin septembre
1888).

◆ Vieilles femmes à Arles (Dans le jardin de l'hôpital d'Arles), 1888 ; huile sur toile ; 73 x 92 cm ; Art Institute, Chicago. Gauguin a travaillé sur divers motifs traités par Van Gogh, mais toujours dans un esprit différent. Vincent a ainsi représenté les jardins voisins de la « maison jaune », or quand Gauguin s'y attaque, il fait ressortir le point crucial qui les séparait : le rapport au réel. Il observe le motif, les femmes, l'atmosphère, mais conçoit son tableau mentalement, en privilégiant l'abstraction symbolique et la suggestion par la couleur, avec les moyens propres au synthétisme.

102

◆ Dans le foin (En pleine chaleur), *1888 ; huile sur toile ; 73 x 92 cm ; collection particulière.* Gauguin éprouvait un immense respect pour Delacroix, qu'il considérait comme un précurseur de la peinture moderne. Familiarisé avec sa vie et son art à travers l'essai que lui avait consacré Baudelaire et par le biais de l'admiration que lui vouaient à peu près tous les impressionnistes, il aimait l'intensité dramatique de ses figures. D'où cette évocation d'un des personnages de La mort de Sardanapale, la superbe femme renversée sur le lit dans la même posture que la paysanne ici représentée : un grand moment de peinture qui combine, avec des moyens essentiels, des éléments bretons et arlésiens.

◆ Ferme à Arles, 1888 ; huile sur toile ; 91 x 72 cm ; Museum of Art, Indianapolis. Voici un des paysages arlésiens de Gauguin les plus révélateurs d'une influence de Van Gogh. Ce dernier avait en effet dessiné et peint des meules pendant l'été 1888, en conférant à ce motif une charge fortement expressive. Gauguin est toutefois plus sensible à sa valeur constructive et, pour la composition de cette vue comme pour sa facture, songe aussi à Cézanne, que la Provence elle-même suffisait à évoquer.

104

◆ Les lavandières à
Arles, *1888 ; huile sur
toile ; 73 x 92 cm ;
Museo de Bellas
Artes, Bilbao.*
Plusieurs des
tableaux arlésiens de
Gauguin, comme ces
Lavandières, n'ont
de provençal que
les costumes, et
pourraient fort bien
avoir été peints en
Bretagne. Même s'il
ne ménageait pas ses
critiques à l'égard de
la ville, l'artiste en
goûta l'atmosphère
avec plaisir, et ses
amis - Vincent, Théo,
Schuffenecker -
s'accordèrent pour
trouver les œuvres
qu'il en rapporta
supérieures à ses
toiles bretonnes, car
plus abstraites et plus
puissantes.

◆ Misères humaines (Les vendanges), 1888 ; huile sur toile ; 73 x 92 cm ; Ordrurpgaardsamlingen, Copenhague. D'après Vincent Van Gogh, ce tableau fut fait « absolument de tête ». Initialement inspiré par un effet de couleurs d'automne sur une vigne provençale, il s'est peu à peu nourri d'imaginaire et chargé de symbolisme, avec des associations à l'univers breton et même des infiltrations d'exotisme pour le personnage de la femme assise, le regard fixe, dans une position voisine de celle des momies péruviennes.

106

◆ Les arbres bleus, 1888 ; huile sur toile ; 92 x 73 cm ; Ordrurpgaardsamlingen, Copenhague. Le parti décoratif et antinaturaliste de ce tableau, exposé en 1889 au Salon des XX de Bruxelles, fut bien compris par Octave Maus : « De ce qu'un paysage montre des troncs d'arbres bleus et un ciel jaune, on conclut que M. Gauguin ne possède pas les plus élémentaires notions du coloris [...]. J'avoue humblement ma sincère admiration pour [...] l'un des coloristes les plus raffinés que je connaisse, et le peintre le plus dénué des trucs coutumiers qui soit. »

◆ Les Alyscamps (page ci-contre), 1888 ; huile sur toile ; 91,5 x 72,5 cm ; musée d'Orsay, Paris. L'antique nécropole des Alyscamps est le premier motif que Gauguin et Van Gogh peignirent ensemble durant l'automne 1888. Gauguin en a réalisé deux versions de même format. Celle-ci, construite verticalement, est dominée au fond par la tour de l'église Saint-Honorat. Dans l'autre, horizontale, les sarcophages sont en revanche visibles le long de l'allée bordée de peupliers.

P. Gauguin. 88

108

◆ Madame Ginoux (L'Arlésienne), *1888 ; fusain sur papier ; 56 x 48,4 cm ; De Young Museum of Fine Arts, San Francisco.*

◆ Au café *(ci-contre), 1888 ; huile sur toile ; 72 x 92 cm ; musée Pouchkine, Moscou.* Van Gogh et Gauguin avaient tous deux demandé à Mme Ginoux de poser. Le dessin synthétique qu'en a fait Gauguin a servi pour le personnage principal de ce tableau, que Vincent aimait beaucoup : « Gauguin a dans ce moment en train une toile du même café de nuit que j'ai peint aussi mais avec des figures vues dans les bordels. Cela promet de devenir une belle chose », écrit-il ainsi à Émile Bernard début novembre 1888.

110

◆ Vincent peignant des tournesols, *1888 ; huile sur toile ; 73 x 92 cm ; Rijksmuseum Vincent Van Gogh, Amsterdam.* Gauguin voulait représenter l'univers pictural de Van Gogh, mais il en a aussi reflété l'univers psychique. En 1903, dans Avant et après, il est revenu sur cet épisode : « J'eus l'idée de faire son portrait en train de peindre la nature morte qu'il aimait tant - des Tournesols. Et le portrait terminé il me dit "C'est bien moi, mais moi devenu fou". » Vincent est, dans cette œuvre, évoqué plus que portraituré.

◆ La famille Schuffenecker, *1889 ; huile sur toile ; 73 x 92 cm ; musée d'Orsay, Paris.* « Je vais m'atteler aux portraits de toute la famille Schuffenecker lui sa femme et ses deux enfants », écrit Gauguin à Vincent Van Gogh à la mi-janvier 1889. Novice en matière de portrait de groupe, un genre très pratiqué par les impressionnistes, Gauguin songe notamment à Fantin-Latour pour la disposition des personnages, mais s'en distingue par un synthétisme audacieux et des couleurs arbitraires, produisant un portrait-charge révélateur du caractère de chacun.

La période symboliste

Durant l'hiver 1889, Gauguin choisit la céramique pour développer les orientations définies par son autoportrait *Les misérables*. Le thème du vase anthropomorphe, abordé lors de l'hiver précédent, intègre cette fois des composantes symboliques et autobiographiques qui vont bien au-delà de celles de ce portrait destiné à Van Gogh, s'étendant à cette sphère du littéraire qui va dorénavant imprégner son art.

Ce qui intéresse Gauguin dans la céramique, c'est la double transfiguration de la matière par l'imagination de l'artiste, au moyen du modelage, et par les effets de ce passage au grand feu qu'il a évoqué dans ses « Notes sur l'art à l'Exposition universelle ». Or ce sont bien les caractères propres à ce matériau, liés au mode de cuisson et au traitement de la surface, qui, autant que la forme, véhiculent le sens de son extraordinaire vase-autoportrait sans oreilles et aux yeux clos, suggérant l'image de la tête coupée récurrente dans la littérature et l'iconographie symbolistes. Les transpositions d'un moyen d'expression à l'autre sont significatives. Gauguin avait peint *Les misérables* en songeant aux résultats expressifs de la céramique : la couleur flamboyante du visage comportait, avait-il expliqué à Schuffenecker, « un vague souvenir de la poterie tordue par le grand feu ! Tous les rouges, les [vio]lets, rayés par les éclats de feu comme une fournaise rayonnant aux yeux, siège des luttes de la pensée du peintre ». Ces propos s'appliquent encore mieux à cet objet-autoportrait où il se représente comme une victime sacrificielle et un artiste visionnaire. Dans un autre vase-autoportrait, en forme de tête de grotesque, la réminiscence des vases anthropomorphes péruviens se transforme en projection du moi « primitif » de l'artiste : Gauguin le sauvage, mais aussi l'âme sensible, l'artiste en proie aux tourments de la création. Appliqué de manière apparemment aléatoire, l'émail reproduit l'aspect des céramiques japonaises, un trait assimilable au japonisme en peinture. D'autres vases symboliques réalisés par Gauguin constituent de véritables sculptures décoratives, proches du style de la céramique Art nouveau, par l'inventivité de leurs formes et la beauté de leur matière, un grès émaillé avec de précieux effets de polychromie. Citons notamment le vase-portrait de la femme de Schuffenecker enturbannée d'un serpent, symbole de tentation et allusion à ses relations ambiguës avec Gauguin, et l'étonnant *Vase en forme de double tête de garçons*.

Il est toutefois impossible de regrouper sous la seule étiquette de symbolisme l'ensemble du travail de Gauguin pendant cette phase cruciale d'affirmation du style personnel qu'il s'est désormais forgé. La peinture pure, dans la ligne de l'impressionnisme, de Cézanne, de Manet - avec par exemple la superbe nature morte intitulée *Le jambon*, de l'hiver 1889 - y coexiste avec les progrès d'une abstraction symbolique qui s'étend peu à peu à des thèmes plus universels que les autoportraits et au domaine du sacré.

Le motif des baigneuses, repris à Pont-Aven, en avril 1889, dans deux tableaux de dimensions analogues qui forment une sorte de diptyque, *La vie et la mort* et *Dans les vagues*, acquiert à présent une valeur symbolique, par le biais du synthétisme et de la dominante linéaire qui circonscrit les sinuosités du paysage et des corps. L'apparition, au premier plan, de nus audacieusement tronqués renvoie une fois de plus à Degas, tandis que le traitement pictural s'apparente à celui des premières marines bretonnes japonisantes de l'artiste, avec des crêtes de vagues résolues en arabesques décoratives. Le premier, *La vie et la mort*, oppose par son titre une figure négative (le nu aux chairs bleuâtres de noyé, adossé à la diagonale inquiétante des écueils noirs du Pouldu dans l'attitude de cette momie péruvienne qui avait suggéré à Gauguin la malheureuse de *Misères humaines*) et une figure positive, la baigneuse rousse contre le sable rose, modelée avec réalisme. Symbole de vie, cette même baigneuse aux cheveux roux revient, de dos, dans le pendant où l'on voit une femme se lancer dans une mer verte : un tableau plus radicalement décoratif par son absence de détails, son dessin japonisant et ses nets contrastes de couleurs.

Pendant la période de travail intensive du second semestre 1889, entre Pont-Aven et Le Pouldu, la Bretagne offre à Gauguin les sources d'inspiration voulues pour donner forme à son symbolisme, à la fois personnel et universel. En quête d'un sentiment archaïque du sacré aux résonances intimes, il se lance dans les recherches encore plus avancées qu'il avait promises à ses amis. *La belle Angèle*, de l'été 1889, est ainsi un portrait antinaturaliste et symbolique. Marie-Angélique Satre y apparaît de face, en buste, dans son costume des jours de fête. Le titre en capitales et le cercle en partie coupé qui entoure le personnage, procédé souvent utilisé par les artistes japonais pour réunir dans une même composition des objets différents sans les mêler, soulignent le refus de réalisme de l'image. Tableau dans le tableau, la femme est présentée comme une icône, et la poterie d'inspiration péruvienne placée sur la gauche suggère un subtil parallélisme entre deux formes de l'âme primitive : l'antique religiosité bretonne et la mentalité sauvage exotique. Un moyen abstrait, la couleur, avec le bleu splendide des deux fonds, sert d'élément unifiant au tableau.

De cette connotation sacrée de *La belle Angèle* aux thèmes proprement religieux, revisités dans l'esprit d'un retour à l'art des primitifs italiens, il n'y a qu'un pas. Les échanges d'idées de l'été précédent avec Émile Bernard, qui se sont poursuivis par voie épistolaire, influent sur les choix iconographiques de Gauguin et sur le radicalisme de son synthétisme aux traits archaïsants. Dans ses tableaux sur la Passion du Christ, il s'efforce d'« exprimer un état général [...], une impression indéfinie infinie », de suggérer une idée au lieu de l'expliquer. « J'ai cherché [...] que tout respire croyance souffrance passive style religieux primitif, et la grande nature avec son cri », écrit-il à Théo Van Gogh à propos du *Christ vert* (*Calvaire breton*). Ce dernier forme avec *Le Christ jaune* un diptyque idéal : même conception spatiale, simple et équilibrée (l'un structuré verticalement, l'autre autour de diagonales), même synthétisme radical, avec le choix d'une coloration dominante, et citation dans les deux cas d'anciennes œuvres d'art religieux populaire. Le Christ en bois polychrome du XVIIᵉ siècle de la petite chapelle de Trémalo figure ainsi dans *Le Christ jaune*, adaptation bretonne de l'iconographie traditionnelle de la crucifixion, située dans un paysage de Pont-Aven où des paysannes, en demi-cercle au pied de la croix, remplacent les pieuses femmes, évoquant par leur disposition, leurs coiffes décoratives, leurs couleurs arbitraires et leur traitement cloisonniste les Bretonnes de *La vision après le sermon*. L'archaïsme et le primitivisme communiqués par le motif à un double niveau de sens, celui du christianisme ancien et celui de ses survivances en Bretagne, font irruption dans le présent à travers le style très moderne de l'œuvre. *Le Christ vert* montre en revanche un calvaire breton typique, celui de Nizon, et la teinte verdâtre que la mousse confère à la pierre donne la tonalité générale du tableau. Dans le *Christ au jardin des Oliviers* enfin, Gauguin met de côté cet archaïsme citationniste à la Bernard des calvaires ou du *Christ jaune*, devant lequel il se représentera dans son *Autoportrait au Christ jaune*, avec en pendant le pot représentant sa tête sous une forme grotesque. Pour exprimer, à travers cet épisode de la Passion, une condition générale, le sentiment d'une souffrance qui est aussi la sienne, il prête en effet ses propres traits au Christ abandonné par ses disciples et imagine un vague paysage générique, aux formes sommaires et aux couleurs sourdes, froides, avec pour unique note vive le rouge des cheveux et de la barbe. Mais il sait bien que cette œuvre ne sera pas comprise de sitôt, car le rapprochement avec les thèmes christologiques de Bernard ou la conception symboliste de l'artiste s'identifiant au Christ ne saurait suffire à faire accepter ce suprême acte d'individualisme. Et c'est encore une création dans un autre matériau, avec une autre technique, qui vient s'associer à ce Gauguin-Christ au jardin de Gethsémani convaincu que l'art peut être assimilé à la création divine : le bas-relief en bois peint *Soyez amoureuses, vous serez heureuses,* exécuté vers la même époque, en novembre 1889. « Un monstre qui me ressemble prend la main d'une femme nue », explique-t-il. C'est Gauguin le sauvage, dans un ensemble chaotique et pourtant d'une grande beauté formelle de figures hautement symboliques.

Le synthétisme du style est l'élément unifiant des paysages que Gauguin peint pendant la première période de ce nouveau séjour à Pont-Aven et au

Pouldu. La campagne vallonnée de l'arrière-pays et la côte accidentée lui suggèrent des dominantes linéaires et une scansion rythmique de plans différenciés par leur traitement pictural, avec des effets de surface assez proches de ceux de la tapisserie. L'organisation de l'espace, l'utilisation d'objets (une meule, une maison…) comme points focaux et éléments stabilisants de la composition, les aplats de couleurs lumineuses et l'assimilation de caractéristiques des estampes japonaises rappellent en revanche les paysages d'Arles. Les tableaux les plus novateurs qu'il peint ensuite au Pouldu pendant l'automne et l'hiver 1889-1890 sont des scènes rurales où les figures acquièrent une importance et une monumentalité nouvelles. Définies par des contours appuyés, ses paysannes au charme rustique et touchant s'imposent avec leurs attitudes rigides et leurs gestes un peu gauches, leur costume sévère et leur « marmotte » noire, semblable à un voile monacal, qui donne aux têtes une forme triangulaire et quelque chose d'asiatique. Assise au premier plan, *La gardeuse de vaches* se découpe ainsi sur un paysage, horizontal et grandiose, avec des formes simplifiées et cernées de bleu. Elle est peinte à coups de petites touches hachées, comme les toiles des précédents séjours bretons, d'où provient aussi la petite vache.

Gauguin observe les paysans du cru, et son mouvement initial de compassion à la vue de leur dur labeur cède bientôt la place à la distanciation du peintre, plus sensible aux rapports de couleurs et à des considérations d'ordre plastique et décoratif. *Les ramasseuses de varech* est ainsi le produit d'un processus complexe d'analyse du réel et d'abstraction. Gauguin regarde les femmes qui récoltent du goémon et le transportent vers les champs pour fertiliser la terre, et ses sensations sont simultanément formelles - couleurs, silhouettes, attitudes - et plus émotionnelles, de tristesse face à ce pénible travail toujours recommencé. Or tout cela se cristallise dans son tableau en une composition calculée, avec de subtils rapports entre teintes sombres et délicates. Car enfin où est le naturel en peinture ? « *Tout* depuis les âges les plus reculés est dans les tableaux, tout à fait conventionnel, voulu [...]. »,

écrit-il à Vincent. La mémoire, le travail en atelier, lui permettent d'agencer ses différents éléments de manière adéquate. Les Bretonnes se voient ainsi attribuer des poses bien définies et sont réparties en trois groupes principaux : la file de femmes qui vient de la mer et dont les corps s'amenuisent, tels ceux de poupées gigognes, pour donner l'illusion de la profondeur, le couple figé qui manie la fourche et la paysanne assise au premier plan, perdue dans sa rêverie. Il y a ensuite les personnages secondaires, les détails anecdotiques conçus pour situer dans une dimension rituelle, immémoriale, les gestes du travail quotidien. La charge émotionnelle réside toute entière dans la couleur.

L'intérêt de Gauguin pour la vie traditionnelle des paysans du Pouldu et leurs croyances religieuses tend à s'intégrer dans une vision personnelle, antimoderniste et universaliste du monde, influencée par les apports culturels complexes issus de la fréquentation de Meyer de Haan. Cela ressort notamment de la décoration de la salle à manger de l'auberge de Marie Henry qu'ils entreprennent tous deux fin 1889 : une sorte d'œuvre d'art totale, à la fois naïve et savante, symbiose entre art et vie. Les créations réalisées pour cet espace - diverses scènes de vie rurale, et surtout les portraits et autoportraits des deux peintres - sont l'expression d'un credo spirituel et artistique, de façons de penser et de vivre. Les préoccupations théoriques, les lectures favorites de l'érudit Meyer de Haan sont affichées dans son portrait lui qu'a réalisé Gauguin ainsi que dans l'autoportrait de Gauguin à l'auréole, peints tous deux sur les panneaux supérieurs des portes d'une armoire. Il s'agit de portraits à la fois ressemblants et caricaturaux, d'un synthétisme essentiel et immédiat, liés entre eux par divers objets-symboles et par leurs couleurs arbitraires, où dominent le jaune et le rouge vif. De Haan, présenté sous les traits d'un mage ou d'une créature diabolique, la lampe, les livres sur la table et, bien sûr, les attributs sacrés et profanes de Gauguin (l'auréole, le serpent, les pommes), reflètent avec humour leurs rôles respectifs et la part qu'a pris dans le symbolisme personnel de Gauguin le goût pour l'ésotérisme du Hollandais. Dans l'autopor-

trait en pied *Bonjour monsieur Gauguin*, citation par antithèse du fameux *Bonjour monsieur Courbet*, Gauguin montre l'autre facette de sa personnalité : non plus le mage de la peinture moderne, saint et tentateur, mais l'artiste solitaire et nomade, salué du bout des lèvres par une modeste paysanne. L'idée que l'art est un moyen de transmettre sa pensée et son monde intérieur, de plus en plus centré sur un désir de fuite de la civilisation moderne, revient dans presque toutes les œuvres que Gauguin réalise au cours des mois précédant son départ pour l'Océanie. La rencontre avec l'exotisme artificiel des pavillons coloniaux et extrême-orientaux de l'Exposition universelle de 1889, les fortes impressions formelles et émotionnelles que cela a suscité en lui, transparaissent à travers le primitivisme rudimentaire de divers tableaux et sculptures expérimentales comme *Martinique*. On retrouve aussi une connotation exotique dans son bas-relief *Soyez mystérieuses* taillé au Pouldu en septembre 1890, pendant simple, décoratif et intriguant de *Soyez amoureuses, vous serez heureuses*, d'un symbolisme non plus charnel et amèrement subjectif mais ésotérique. La composition semble plus contrôlée, avec des figures disposées le long d'un axe diagonal et une stylisation des crêtes de vagues en volutes japonisantes. La baigneuse de dos, tirée du tableau *Dans les vagues*, arbore les traits et la peau cuivrée d'une fille des tropiques. Le profil de femme rousse, symbolisant la lune, le personnage de gauche et cette physionomie asiatique que Gauguin trouvait aux habitantes du Pouldu. D'autres reliefs en bois de la même période sont d'un primitivisme plus fruste et leurs thèmes, d'un symbolisme obscur et assez littéraire, tournent autour d'Ève, personnification d'un mythe universel qui gardera désormais une place importante dans l'imaginaire de Gauguin.

Les quelques tableaux qu'il peint ensuite à Paris reflètent ses liens avec les cercles littéraires symbolistes, mais aussi son attachement stylistique et affectif à plusieurs figures maîtresses de l'impressionnisme. Le *Portrait de femme à la nature morte de Cézanne*, sans doute exécuté à son retour dans la capitale vers novembre 1890, est un

tableau doublement cézannien : par la présence, au fond, de *Compotier, verre et pommes* (1880), la pièce de sa collection à laquelle Gauguin tenait le plus, ainsi que par l'organisation de son espace, l'attitude du personnage, analogue à celle de divers portraits de Mme Cézanne par son mari, et ses touches hachées diversement orientées pour suggérer les volumes. Le cerne des contours et les motifs de la tapisserie du fauteuil appartiennent en revanche au style de Gauguin. *La perte du pucelage*, toujours de l'hiver 1890-1891, se veut un manifeste du nouvel art synthétiste et symboliste adressé à ses amis littérateurs, mais c'est aussi un hommage, à travers le nu du premier plan, à l'*Olympia* de Manet. Ce tableau, qui avait fait scandale au Salon de 1865, était justement revenu sur le devant de la scène : présenté lors de l'Exposition centennale de 1889, il venait d'être acquis par l'État pour les collections du Luxembourg grâce à une souscription publique lancée par Monet. Gauguin avait tenu à en faire une copie fidèle, et il manifestera toujours une tendresse particulière pour cette œuvre, étape fondamentale de la bataille contre les conventions académiques dans un domaine classique, le nu, qui allait rester encore longtemps un champ d'expériences pour les artistes d'avant-garde.

Dans *La perte du pucelage*, sur un fond de paysage familier du Pouldu, peint de mémoire, résumé en plages de couleurs aux tons sourds - vert, bleu, marron violacé - et horizontalement rythmé par leurs contours, le nu couché du premier plan, pour lequel a posé Juliette Huet, sa maîtresse du moment, est volontairement grossier, rigide comme un morceau de bois. La pose rappelle celle du portrait de *Madeleine au bois d'Amour* d'Émile Bernard (1888) et a quelque chose de cadavérique, évoquant le *Christ mort* d'Holbein ou les christs allongés des calvaires bretons. Le cortège nuptial, au loin dans le paysage désert, la fleur rouge entre les mains de la jeune fille, le renard, symbole indien de la perversité, qui pose une patte sur son sein en signe de possession et se trouve également associé à l'amour charnel dans le relief *Soyez amoureuses, vous serez heureuses*, renforcent le symbolisme de l'ensemble.

114

◆ Vase en forme de
double tête de
garçons (ci-dessus),
1889 ; grès émaillé ;
h. 20,7 cm ; Fondation
Dina Vierny, Paris.
La position des têtes
rappelle celle des
Enfants luttant, mais
elles sont ici dos à
dos et réunies par une
anse en forme de col
de cygne. L'un des
garçons a les yeux
clos, l'autre le regard
fixe, pour symboliser
peut-être la double
identité du modèle
ou de l'artiste : ces
deux natures que
Gauguin reconnaissait
en lui.

◆ Buste de Meyer de
Haan (ci-dessous),
1889 ; chêne sculpté
et peint ; h. 57 cm ;
National Gallery
of Canada, Ottawa.
Mélange de portrait et
d'effigie symbolique,
ce buste plus grand
que nature trônait sur
la cheminée de la
salle à manger de
l'auberge Henry. La
tête, grossièrement
sculptée, se dégage
d'un morceau de bois
qui conserve ses
qualités et sa
puissance originelles,
préfigurant le
primitivisme du début
du XXᵉ siècle.

◆ Soyez amoureuses, vous serez heureuses *(ci-dessus), 1889 ; tilleul sculpté et peint ; 97 x 75 cm ; Museum of Fine Arts, Boston.* « *Comment dire la philosophie sculptée dans ce bas-relief ironiquement libellé :* Soyez amoureuses et vous serez heureuses, *où toute la luxure, toute la lutte de la chair et de la pensée, toute la douleur des voluptés sexuelles se tordent, et, pour ainsi dire grincent des dents ?* » (A. Aurier, Le symbolisme en peinture, *1891.*)

◆ Ève et le serpent *(ci-dessous), 1889-1890 ; chêne sculpté et peint ; 34,7 x 20,5 cm ; Ny Carlsberg Glyptotek, Copenhague. Les reliefs en bois tiennent une place importante parmi les œuvres, d'un primitivisme mêlé d'exotisme, que Gauguin a réalisées en Bretagne en 1889-1890. La figure d'Ève y revient souvent, archétype représentatif de cette dimension originelle que l'artiste recherche, ici dans un contexte symbolique obscur renvoyant à ses discussions avec de Haan et à leurs lectures communes.*

116

◆ Vase en forme de tête de femme : Mme Schuffenecker, 1889 ; grès émaillé avec touches d'or ; h. 24,2 cm ; Museum of Art, Dallas.

L'émail et les rehauts d'or confèrent une qualité précieuse à ce vase-portrait chargé d'un sens symbolique : avec ses oreilles pointues de faunesse et le serpent enroulé autour de sa tête en guise de couvre-chef, l'épouse du « bon Schuff » y fait en effet figure de tentatrice. Cette pièce très décorative et d'une grande originalité est à ranger au nombre des plus belles créations de l'Art nouveau.

◆ Pot en forme de tête, autoportrait *(à gauche)*, 1889 ; céramique en grès flammé avec couverture de vernis vert olive, gris et rouge ; h. 19,3 cm ; Kunstindustrimuseet, Copenhague.
La longue gestation de cette effigie - qui tient à la fois du bock populaire et des vases anthropomorphes péruviens, et dans laquelle convergent les dernières expériences en peinture et en céramique de Gauguin - explique sa force et son pouvoir suggestif. La tête coupée, chère à l'iconographie symboliste, de saint Jean-Baptiste à Orphée, migre cette fois dans le registre de l'autoportrait. C'est l'artiste martyr, incompris, persécuté, prompt à s'identifier au Christ, et c'est aussi le créateur extra-lucide, les yeux clos, doté de l'œil de la vision intérieure. Bref, c'est le Gauguin qui choisit la voie du symbolisme, solitaire et pleine d'écueils, mais correspondant bien à sa nature profonde.

◆ Portrait de Gauguin en forme de tête de grotesque *(à droite)*, 1889 ; grès émaillé ; h. 28 cm ; musée d'Orsay, Paris.
En novembre 1889, Gauguin offrit ce pot à Madeleine Bernard mais, déconcertée, celle-ci le refusa. Quelque temps plus tard, l'artiste s'explique ainsi de son geste au frère de la jeune fille : « Entre nous je l'ai fait un peu exprès de tâter ainsi les forces de son admiration en pareille matière, je voulais ensuite lui donner une de mes meilleures choses quoique pas très réussie (comme cuisson). Vous savez [...], je cherche le caractère dans chaque matière. Or le caractère de la céramique de gris est le sentiment du grand feu, et cette figure calcinée dans cet enfer en exprime je crois assez fortement le caractère. Tel un artiste entrevu par Dante dans sa visite dans l'enfer. Pauvre diable ramassé sur lui-même, pour supporter la souffrance. »

118

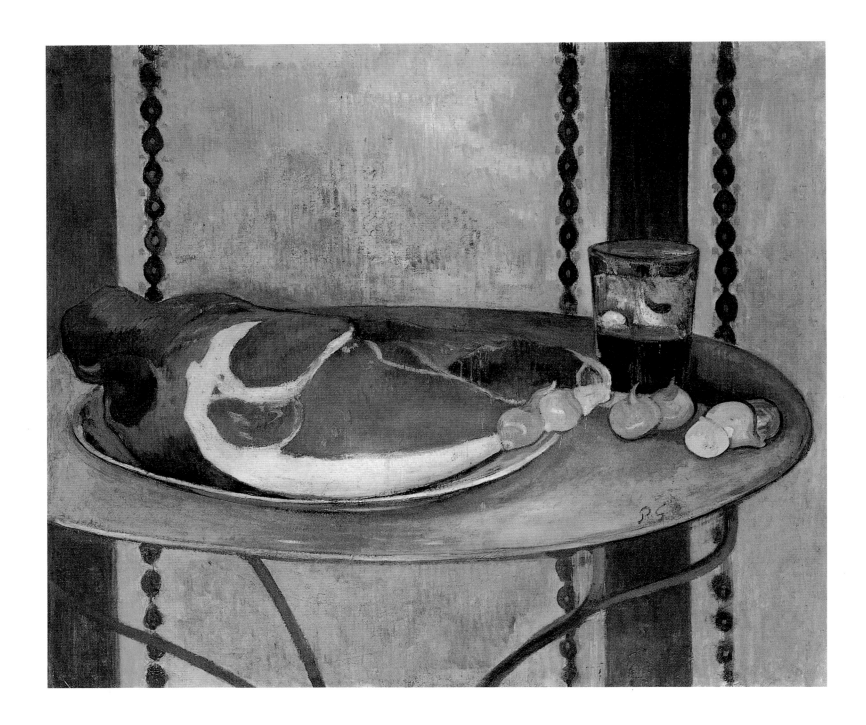

◆ Le jambon, *1889 ;*
huile sur toile ;
50 x 58 cm ; Phillips
Collection,
Washington.
Ce tableau fut suggéré
par Le jambon *de*
Manet *(1880) que*
Gauguin avait vu chez
Degas, ce dernier
l'ayant acheté lors
d'une vente en 1888.
Gauguin reprend la
structure de la toile de
Manet, avec au centre

le jambon sur son plat
ovale devant un mur
décoré, et songe à
Cézanne pour la
disposition du verre et
des oignons. Il insiste
pour sa part sur une
dominante verticale,
équilibrée par les
courbes de la table,
du plat et du jambon,
et reprend les
couleurs solaires de
ses toiles d'Arles.

◆ Nature morte à l'estampe japonaise, 1889 ; huile sur toile ; 73 x 92 cm ; musée d'Art moderne, Téhéran.
La chaude et claire harmonie de couleurs et la simplicité de la composition, agencée autour de la ligne horizontale du mur, font de ce tableau un des plus beaux exemples de peinture pure de l'époque. Présence troublante, le vase-autoportrait chargé d'implications symboliques est ici ramené à sa fonction première d'objet conçu pour contenir des fleurs : Gauguin s'amusait volontiers à contredire ou à désamorcer ce que le symbolisme pouvait comporter de trop dogmatique.

120

◆ Le Christ au jardin
des Oliviers, 1889 ;
huile sur toile ;
73 x 92 cm ; Norton
Gallery of Art, West
Palm Beach.
Gauguin était ravi de
la composition et des
couleurs de cette
toile, qu'il mentionne
dans une lettre à
Émile Bernard.
Il voyait en elle une
œuvre intime, privée,
qui avait fort peu
de chances d'être
comprise. « C'est

mon portrait que j'ai
fait là... Mais cela veut
représenter aussi
l'écrasement d'un
idéal, une douleur
aussi divine
qu'humaine, Jésus
abandonné de tous,
ses disciples le
quittant, un cadre
aussi triste que son
âme », expliquera-t-il
à Jules Huret lors
d'une interview pour
L'Écho de Paris en
février 1891.

◆ Le Christ vert
(Calvaire breton)
(page ci-contre),
1889 ; huile sur toile ;
92 x 73 cm ; musées
royaux des Beaux-
Arts, Bruxelles.
En novembre 1889,
à propos des « trois
femmes de pierre
tenant le Christ »,
Gauguin écrit
à Théo Van Gogh :
« Bretagne,
superstition simple et
désolation. La colline
est gardée par un

cordon de vaches
disposées en calvaire.
J'ai cherché dans ce
tableau que tout
respire croyance
souffrance passive
style religieux primitif,
et la grande nature
avec son cri. » À
travers l'archaïsme de
l'art populaire et du
terroir breton, la
passion du Christ lui
permet de suggérer
« un état général [...]
une impression
indéfinie infinie ».

122

◆ Le Christ jaune
(page ci-contre),
1889 ; huile sur toile ;
92 x 73 cm ; Albright-
Knox Art Gallery,
Buffalo (N.Y.).
Ce tableau-manifeste
du synthétisme et du
primitivisme breton
de Gauguin, marqué
par les thèmes
religieux et le style

archaïsant chers à
Bernard, transpose
l'image de la
Crucifixion dans le
contexte naturel et
humain de Pont-Aven
à partir d'une œuvre
d'art populaire local,
le Christ en bois
polychrome de
Trémalo (XVIIᵉ siècle).

◆ Autoportrait au
Christ jaune, 1889-
1890 ; huile sur toile ;
38 x 46 cm ;
collection particulière.
Comme dans les
autoportraits d'artistes
qu'il a vus au Louvre,
Gauguin se montre
ici sous son aspect
ordinaire, l'air réservé,
un peu tendu, entre

deux de ses œuvres
récentes censées
refléter ses émotions
et les deux versants
de sa personnalité :
Le Christ jaune, à
l'envers car vu dans
un miroir, et le vase-
autoportrait en forme
de tête de grotesque.

124

◆ La vie et la mort
(Femmes se
baignant), 1889 ;
huile sur toile ;
92 x 73 cm ; musée
Mahmoud Khalil Bey,
Le Caire.
Dans sa zincographie

Aux Roches noires,
qui fut reproduite sur
la première page du
catalogue de
l'exposition de 1889
au café Volpini,
Gauguin a rapproché
la figure négative de

ce tableau - la femme
assise dans une
attitude prostrée,
rappelant celle de
Misères humaines -
de la baigneuse de
dos de Dans les
vagues. Cette

juxtaposition fait
ressortir le lien entre
les deux œuvres :
leur symbolisme
est voisin, même
s'il transparaît ici
de manière
plus flagrante.

◆ Dans les vagues (Ondine), *1889 ; huile sur toile ; 92 x 72 cm ; Museum of Art, Cleveland.*
Là encore, l'utilisation de la vague comme forme ornementale provient des estampes japonaises. Et même si la figure de dos a pour précédent la paysanne arlésienne de Dans le foin, *ses modèles les plus directs restent les nus* de Degas. Quant à la combinaison de ces deux motifs, elle préfigure les tableaux tahitiens. La puissance suggestive de cette sobre image introduit un des thèmes essentiels de l'art de Gauguin : l'innocence de l'être humain dans son état originel.

126

◆ Double portrait
d'enfants, 1889 ou
1890 ; huile sur toile ;
46,9 x 60 cm ; Ny
Carlsberg Glyptotek,
Copenhague.
La datation de ce
tableau - qui montre
les enfants de
Schuffenecker
(Jeanne et le petit
Paul) ou ceux de
Marie Henry - est
controversée. Son
attribution au bref
séjour à Paris du
début 1889, lors

duquel Gauguin aurait
exécuté plusieurs
portraits des membres
de la famille de son
ami (voir page 111)
est contredite par le
style, proche, dans sa
stylisation poussée,
sa dominante
curviligne et l'emploi
de couleurs primaires,
de celui d'œuvres
bretonnes un peu plus
tardives. Les dates de
1894 et 1895 ont
aussi été avancées.

◆ La belle Angèle
(page ci-contre),
1889 ; huile sur toile ;
92 x 73 cm ; musée
d'Orsay, Paris.
Gauguin affirmait
alors, non sans
raison, n'avoir
« jamais réussi un
portrait aussi bien
que celui-là », mais
son modèle,
Angélique Satre,
refusa quand même
de le garder. Moins
impliqué et plus
averti, Théo Van Gogh

sut quant à lui saisir
l'originalité de cette
composition et
apprécier la fraîcheur
de ses couleurs. Avec
ce portrait-icône,
Gauguin orientait son
synthétisme vers une
dimension de
sacralité primitive
et une forme
d'abstraction
symbolique.

LA BELLE ANGÈLE

128

129

◆ La plage du Pouldu
(page ci-contre, en
haut), 1889 ; huile sur
toile ; 73 x 92 cm ;
collection particulière.
Le tracé ornemental
des vagues et celui
des ondulations du
paysage s'inspire
d'estampes
japonaises à motif
analogue de
Hiroshige et Hokusai,
que les frères Van
Gogh avaient
contribué à mieux
faire connaître
à Gauguin.

◆ Pêcheuses de
goémon (page ci-
contre, en bas), 1889 ;
gouache et crayon sur
carton ; 28 x 32 cm ;
galerie Fujikawa,
Japon.
Le traitement décoratif
de la vague du fond
et l'accentuation des
mouvements de ces
deux femmes
renforcent les lignes
directrices de la
composition,
renvoyant une fois de
plus aux estampes
japonaises.

◆ Les ramasseuses
de varech, 1889 ;
huile sur toile ;
87 x 122,5 cm ;
Folkwang Museum,
Essen.
« En ce moment je
fais une toile de 50,
des femmes
ramassant du goémon
sur le bord de la mer.
Ce sont comme des
boîtes étagées de
distance en distance,
vêtements bleus et
coiffes noires et cela
malgré l'âpreté du
froid. Fumier qu'ils

ramassent pour fumer
leurs terres, couleur
ocre [...] avec des
reflets fauve. Sables
roses et non jaunes à
cause de l'humidité
probablement - mer
sombre » (lettre à
Vincent Van Gogh,
octobre 1889).

130

◆ La gardeuse de vaches, *1889 ; huile sur toile ; 71,5 x 90,5 cm ; Ny Carlsberg Glyptotek, Copenhague.* Gauguin exprime ici la placide résignation des paysannes du Pouldu à travers une simplification des formes et une monumentalité de la figure qui ont notamment leur source dans l'intérêt qu'il manifeste alors pour Giotto et, plus généralement, pour les Primitifs italiens.

◆ Petites Bretonnes devant la mer *(page ci-contre), 1889 ; huile sur toile ; 92 x 73 cm ; musée national d'Art occidental, Tokyo.* « Deux fillettes bretonnes, nabotes, presque naines, dans des vêtements trop grands, ayant déjà comme des airs de veuves », notait en 1930 le critique Arsène Alexandre. En situant ses figures au premier plan devant une portion de la côte du Pouldu traitée en formes synthétiques et en lignes japonisantes, Gauguin leur a conféré une dignité monumentale.

132

◆ Portrait-charge de Gauguin (Autoportrait à l'auréole) (page ci-contre), 1889 ; huile sur bois ; 79,6 x 51,7 cm; National Gallery of Art, Washington. Cette œuvre figurait auprès d'un portrait de Meyer de Haan sur une des portes d'une armoire de la salle à manger de l'auberge Henry. Un même style synthétiste, des couleurs pures (jaune, rouge) et divers objets ou symboles faisant allusion au tempérament des deux peintres ainsi qu'à leurs conceptions sur l'art, liaient intimement ces deux images.

◆ Bonjour monsieur Gauguin, 1889 ; huile sur toile ; 113 x 92 cm ; Národní Galerie, Prague. Songeant peut-être à une formule que Van Gogh avait eue à son propos, « l'homme qui vient de loin et qui ira loin », Gauguin se présente ici comme un artiste errant et solitaire et reprend, dans un sens amèrement dérisoire, le titre d'un autre autoportrait d'artiste, le célèbre Bonjour monsieur Courbet, qu'il avait vu avec Vincent au musée de Montpellier.

134

◆ Meyer de Haan, 1889 ; huile sur bois ; 80 x 52 cm ; collection particulière. Marie Henry appelait Le soir à la lampe ce portrait-charge du Hollandais, qui ornait la salle à manger de son auberge. On y voit le Meyer de Haan passionné de lectures et de spéculations intellectuelles devant ses livres favoris, à la lueur de la lampe de la connaissance. Ce surprenant personnage allait devenir une figure-fétiche de l'iconographie symboliste de Gauguin.

◆ Nirvana (Portrait de Meyer de Haan), *vers 1890 ; huile et essence sur soie ; 20 x 29 cm ;* Wadsworth Atheneum, Hartford (Conn.). Sur fond d'une version schématique du tableau symboliste La vie et la mort *ou de la zincographie* Aux Roches noires, *qui* montrent des femmes dans une attitude de souffrance et de résignation, de Haan, avec son regard hypnotique, arbore plus que jamais les traits d'un philosophe démoniaque ou d'un sorcier maléfique. Vêtu comme un mage oriental, il tient un emblème cabalistique en forme de serpent.

136

◆ Ève (en haut, à gauche), 1890 ; grès émaillé ; h. 60 cm ; National Gallery of Art, Washington. La posture légèrement inclinée et adossée à un arbre s'inspire de celle de personnages d'une frise sculptée du temple de Borobudur, dont Gauguin connaissait une reproduction. L'harmonie du modelé, qui distingue cette statuette des autres créations contemporaines primitivistes de l'artiste, et une certaine beauté classique, rapprochent cette Ève de la Vénus de Botticelli.

◆ Vénus noire (en haut, à droite), 1889 ; grès émaillé ; h. 50 cm ; Nassau County Museum, New York. Les différents attributs de cette statuette massive associent les thèmes de la fertilité et de la mort, de la femme fatale (Salomé) et de la Pietà. Sur la vasque dont elle semble surgir figure une fleur de lotus, symbole indien de fécondité, et une tête qui n'est autre que celle de Gauguin tel qu'on le voit sur un de ses vases-autoportraits et dans Soyez amoureuses, vous serez heureuses.

◆ Martinique (page ci-contre, en haut), 1889-1890 ; chêne sculpté et peint ; 30 x 49 cm ; Ny Carlsberg Glyptotek, Copenhague. Le voyage aux Antilles de l'artiste en 1887 est évoqué dans ce bas-relief, au moyen d'un luxuriant décor de végétation tropicale et à travers la relation entre la séduction et la femme indigène, que Gauguin a souvent suggérée dans ses œuvres et dont il a eu l'intuition pendant ce premier séjour dans les îles.

◆ Soyez mystérieuses (page ci-contre, en bas), 1890 ; bois sculpté polychrome ; 73 x 95 x 0,5 cm ; musée d'Orsay, Paris. C'est le dernier des bas-reliefs en bois qu'a sculptés Gauguin entre 1889 et 1890. Sensible à son troublant symbolisme, Aurier l'a rapproché de Soyez amoureuses, vous serez heureuses, lui attribuant un sens opposé. Il célébrerait ainsi les « pures joies de l'ésotérisme », les « troublants caressements de l'énigme, les fantastiques ombrages des forêts du problème ».

138

◆ Portrait de femme à la nature morte de Cézanne, *1890 ; huile sur toile ; 65,3 x 54,9 cm ; Art Institute, Chicago. Un témoignage de l'admiration que Gauguin portait à Cézanne : il calque la position de la figure assise sur un* Portrait de Mme Cézanne *par son mari de 1881-1882.*

◆ La perte du pucelage (L'éveil du printemps) *(page ci-contre, en haut), 1890-1891 ; huile sur toile ; 90 x 130 cm ; Chrysler Museum, Norfolk. Gauguin a peint ce tableau saturé de souvenirs et de citations, du* Christ mort *de Holbein à* Madeleine au bois d'Amour *d'Émile* Bernard. *Alliant au souvenir de l'*Olympia *de Manet un paysage du Pouldu synthétisé en quelques plans colorés, cette image traitée avec un primitivisme s'accordait bien avec l'idéalisme et le symbolisme des écrivains que l'artiste fréquentait alors : Morice, Aurier, Mallarmé, Leclercq.*

◆ Portrait de Stéphane Mallarmé *(page ci-contre, en bas), 1891 ; eau-forte sur cuivre et pointe sèche sur vélin ; 18,3 x 14,3 cm ; collection particulière. Mallarmé appréciait Gauguin avant même de l'avoir rencontré, et promut la vente aux enchères destinée à financer son départ pour Tahiti.*

au poète Mallarmé
Témoignage d'une très grande admiration
Paul Gauguin
Jer 1891

Le premier séjour à Tahiti

Gauguin s'est mis au travail dès son arrivée dans l'île, mais c'est seulement après son installation dans le district de Mataiea, vers la fin 1891, qu'a débuté sa véritable période de création picturale, avec l'élaboration de grandes toiles complexes et composées.

Les premiers mois, il se borne à brosser quelques portraits de commande et des tableaux d'atmosphère - plus ou moins folkloriques, dont l'un montre la danse pleine de frénésie érotique nommée *Upaupa* et un autre, *La maison des chants*, une cérémonie religieuse comportant des chants choraux, les « hyménées », - dans un style immédiat visant à fixer l'impression suscitée par ces spectacles nouveaux pour lui. Il a aussi taillé quelques sculptures, dans un bois trop fragile pour s'être conservé.

Ce sont ses dessins, des études de têtes ou de personnages entiers, qui constituent ses premières réalisations véritablement importantes, car ils serviront de point de départ à ses futurs tableaux. Gauguin les appelle ses « documents » et va, comme lorsqu'il avait abordé l'univers breton, s'en servir de matière première pour construire diverses scènes et portraits. Il observe d'abord attentivement les visages des Tahitiennes, afin de s'imprégner de leur physionomie, de leur beauté particulière, et les traduit en formes épurées. Nombre de ces dessins sont très soignés, exécutés avec une technique raffinée, extrêmement nuancée. Ils remplissent certes une fonction d'études préparatoires, mais l'artiste les considère aussi comme des œuvres à part entière. Joints au petit musée de reproductions d'œuvres d'art d'époques et de civilisations différentes qu'il a emportées avec lui, ces documents l'aident à concevoir ses premiers tableaux tahitiens avec figures. Les personnages de ses deux versions des *Parau Parau (Les potins)* sont ainsi tirés de dessins d'après modèles et une de ses premières toiles de 1891, *Te tiare farani (Les fleurs françaises)* juxtapose une nature morte de fleurs, cadrée à la Degas, et deux Tahitiens excentrés, un homme et une femme, qui ont visiblement fait l'objet d'études distinctes. La source principale de *Ta matete (Le marché)*, une fresque égyptienne de la XVIIIe dynastie choisie pour ses correspondances avec la scène réelle, est trahie par la position de profil des femmes assises, rigides et alignées. *Le repas (Les bananes)* pourrait en revanche passer pour une scène de genre, mais il s'agit en réalité d'une composition totalement artificielle : une nature morte tropicale comportant un régime de bananes rouges - mets très apprécié, mais qui se consomme en principe cuit - y est arrangée sur une table dressée pour une occasion plus picturale que conviviale, avec l'ajout de jeunes garçons et d'une fillette en pose, plaqués sur le fond, l'air un peu crispés. Gauguin continue à appliquer dans ces nouvelles œuvres son idée que, en art, tout est « conventionnel, voulu », rien n'est jamais spontané. La nature tahitienne et l'atmosphère locale, les vêtements, les coutumes, la gestuelle des indigènes, lui suggèrent des compositions et des arabesques décoratives plus décidées, plus nettes, plus fantaisistes, et l'amènent peu à peu, comme il le raconte dans *Noa Noa*, à percevoir autrement la couleur. « Je commençais à travailler : notes, croquis de toutes sortes. Tout m'aveuglait, m'éblouissait dans le paysage. Venant d'Europe, j'étais toujours incertain d'une couleur, cherchant midi à quatorze heures : cela était cependant si simple de mettre naturellement sur ma toile un rouge et un bleu. Dans les ruisseaux des formes en or m'enchantaient. Pourquoi hésitais-je à faire couler sur ma toile tout cet or et toute cette réjouissance de soleil ? Probablement de vieilles habitudes d'Europe, toute cette timidité d'expression de nos races abâtardies. » Alors que ses premiers paysages polynésiens (*Rue de Tahiti*, 1891) représentaient l'organisation spatiale de ses vues d'Arles et de Bretagne, avec des lignes de fuite convergeant sur un seul point, et recouraient à de petites touches constructives, *Fatata te mouà (La montagne est proche)*, de 1892, exprime parfaitement ce nouveau sentiment de la couleur. Il s'agit d'un paysage flamboyant, d'un genre qu'on peut dire autobiographique puisqu'il représente les environs du domicile de l'artiste à Mataiea, tels qu'ils sont synthétiquement décrits dans *Noa Noa* : avec le « mango adossé à la montagne, bouchant l'antre formidable ». L'autre point de vue qu'on avait de cette case, du côté de la mer, lui a inspiré un tableau important, véritable jalon de ce parcours initiatique symbolique relaté dans *Noa Noa* et qui culmine avec la mort du moi civilisé, perverti, et la résurgence d'un moi primitif régénéré. Il s'agit de *Matamoe (Le paysage aux paons)*, dont le titre tahitien signifie littéralement « mort », et où l'on voit un homme débiter un arbre à la hache dans un cadre naturel chatoyant agrémenté d'un paon et d'une paonne au premier plan. Le nouveau sens de la couleur de l'artiste joue d'ailleurs un rôle essentiel dans sa « résurrection » : *Matamoe* est peint avec des teintes somptueuses, profondes, et ses plans colorés constituent autant de formes décoratives. *Matamoe* renvoie en outre à un autre tableau au chromatisme splendide, *L'homme à la hache*, où le motif principal, un homme levant sa hache pour couper du bois, est transfiguré en un acte symbolique qui marque la mort à une condition et la renaissance à une autre. Dans *Noa Noa*, Gauguin prétendra en effet s'être délivré de sa mentalité occidentale, être enfin parvenu à penser et à sentir comme un indigène, après avoir aidé un bûcheron à abattre un arbre : l'arbre mort destiné à revivre un instant dans les flammes, ou à donner naissance à des figures sculptées.

La figure humaine est en tout cas au thème central de la période la plus productive de ce premier séjour tahitien, avec d'extraordinaires portraits féminins qui s'inscrivent dans la grande tradition occidentale de la peinture de nus et de personnages en pose. Il s'agit « d'authentiques Maories », tient à souligner Gauguin, et non de ces Orientales imaginaires qu'on peignait alors dans les ateliers parisiens. Étudiées au travers de multiples dessins, ces femmes dévoilent leur beauté particulière, différente des canons occidentaux, lui rappelant une phrase qu'il attribue à Poe : « Il n'y a pas de beauté parfaite sans une certaine singularité dans les proportions. » Elles n'en conservent pas moins leur caractère impénétrable, ou du moins celui que l'artiste leur prête en les représentant de manière énigmatique.

À partir de son portrait *La femme à la fleur*, encore tributaire de représentations antérieures de personnages assis, mais magnifiquement orchestré autour de contrastes de jaune, de bleu et de rouge, Gauguin se concentre sur le thème de la figure isolée pour étudier les attitudes, le caractère, la façon d'être des Maoris. Un état psychologique particulier l'intéresse : la mélancolie, la femme perdue dans ses pensées, le rêve les yeux ouverts comme dans la *Rêverie* de Corot, un des tableaux de la collection Arosa.

Faaturuma (*Boudeuse* ou *Rêverie*) qui montre sur un rocking-chair une femme essentiellement définie par les courbes ornementales de sa robe rouge et *Te faaturuma*, une femme assise en tailleur sur le sol de sa case, illustrent ainsi ce silence et cette immobilité des Tahitiens qui avaient tant frappé l'artiste à son arrivée dans l'île. *La femme au mango* qui arbore, comme beaucoup de ces personnages féminins, les traits de la « vahiné » de Gauguin, Teha'amana, est une de ses plus belles réalisations en matière de portrait construit sur des oppositions de couleurs - ici le jaune du fond et la complémentaire bleu-violet de la robe. Il est peint avec une technique très sophistiquée, qui recourt à des superpositions de teintes différentes pour produire un effet de moiré sur les cheveux, le tissu et exalter ainsi la sensualité de l'image, renforcée par la mangue et les fleurs.

Dans des compositions élaborées de deux figures ou davantage, dominant un paysage simplifié ou sommairement indiqué, des femmes en pose, étudiées sur le vif ou suggérées par les modèles picturaux préférés de l'artiste (une des *Femmes d'Alger* de Delacroix, des femmes à leur toilette de Degas, les deux personnages de *Sur la plage* de Manet, ou encore une des baigneuses d'Ingres), communiquent par leurs attitudes, leurs formes et leurs couleurs un sentiment de paix et de silence. *Femmes de Tahiti* (*Sur la plage*) repose, plus que sa variante *Parau api* conservée à Dresde, sur les rapports de couleurs entre le rose de la robe, le jaune clair du sol, le vert du fond et le rouge du paréo à fleurs. À l'instar de *Quand te maries-tu ?* autre composition à deux personnages, *Eh quoi ! tu es jalouse ?* laisse sans réponse l'interrogation anecdotique de son titre, se bornant à en tra-

duire l'atmosphère par la couleur arbitraire de son sol rose-lilas. Et l'on pourrait certes, comme l'ont souligné certains exégètes, éprouver quelque jalousie devant la paresseuse félicité dont semblent jouir ces superbes créatures dans l'idyllique nature tahitienne. Dans *Otahi* (*Seule*), qui montre un dos de femme agenouillée, dans une posture rappelant un nu de Degas, les contours ondulés du sol et du paysage font écho à la souple ligne horizontale du corps. Le thème de la baigneuse de dos, que Gauguin à déjà traité en Bretagne, est repris dans *Vahine no te miti* (*Femme de la mer*), où l'artiste se réfère ostensiblement à des chefs-d'œuvre occidentaux, comme la célèbre *Baigneuse Valpinçon* d'Ingres et plusieurs nus de Degas, mais en les restituant dans un contexte géographique différent. Ce dernier est traduit par les forts contrastes d'ombre et de lumière sur le torse (tiré d'un dessin d'après modèle et puissant comme ceux de la statuaire antique), ainsi que par le jaune vif du sable, le pan de paréo, les feuilles et les fleurs exotiques du premier plan.

Diverses scènes de genre montrent en outre des Tahitiennes dans leur vie quotidienne, au travail ou surtout au repos : leur inertie contemplative et muette, et aussi leurs jeux aquatiques, qui étaient, selon Loti, une de leurs occupations favorites. Avec leurs attitudes rigides et leurs longues robes à col montant, dont la coupe avait été introduite par des missionnaires qui trouvaient indécents les paréos indigènes, les femmes de *La sieste* (1891-1892 ou 1894) se transforment ainsi en simples formes décoratives, éléments d'un paysage décomposé en plans colorés cernés d'arabesques linéaires. Quant à *Fatata te miti* (*Près de la mer*), de 1892, il s'agit d'une des

scènes de genre les plus audacieusement décoratives et antinaturalistes de Gauguin : une version synthétiste, dans un style ornemental très moderne, d'un de ses motifs préférés, la baigneuse de dos qui se jette dans l'eau, son ondine de 1889.

Taaroa, Hina, Fatou et leur dialogue sur la vie, la mort et la résurrection, autrement dit les fondements de la mythologie tahitienne, sont prétexte à diverses sculptures taillées dans des troncs d'arbres, auxquelles Gauguin a commencé à s'attaquer après avoir lu le *Voyage aux îles du Grand Océan* (1837) de Jacques-Antoine Moerenhout. Les principales sont le cylindre en bois de tamanu intitulé *Hina et Fatou*, le cylindre de la même époque orné d'une représentation de Hina, et puis *l'Idole à la perle* et l'*Idole à la coquille*. La forme cylindrique renvoie à d'anciens symboles de fécondité et la base, à peine dégrossie, de ces statuettes à la croyance animiste que l'esprit des divinités résidait dans les branches ou les troncs sculptés en leur honneur. Faute d'authentiques idoles tahitiennes, Gauguin avait donc décidé de fabriquer lui-même ses propres « dieux bizarres », s'inspirant de motifs de tatouages marquisiens qu'il avait vus sur des photos, de statuettes maories, les *tikis*, ainsi que d'images du Bouddha et de divinités indiennes. L'*Idole à la coquille* est ainsi le produit de la transformation d'un type de divinité hindoue en un dieu local, Taaroa, dont le coquillage symbolise l'univers qu'il a créé. Taaroa est montré de face, jambes croisées dans la position d'un bouddha, avec un visage polynésien et des dents en os bien visibles, pour évoquer peut-être d'anciennes pratiques cannibales. Ses ornements stylisés sont typiques de l'art marquisien. Derrière lui, deux couples

assis de profil, rappelant les couples de *tikis* des Marquises, représentent peut-être Hina et Taaroa et Hina et Fatou. L'*Idole à la perle* s'inspire aussi d'effigies du Bouddha et de Çiva, dont l'artiste avait pu voir des exemples lors de l'Exposition universelle de 1889 et possédait quelques photographies : l'idole a l'aspect d'un bouddha en méditation, les yeux fermés, la main baissée dans le geste indiquant l'Éveil, et la perle sur son front fait allusion au troisième œil de la vision intérieure. Mais ce bouddha est doté de caractères androgynes et d'un visage aux traits polynésiens. La niche qu'il occupe et qui le dissocie du reste du cylindre forme une mandorle. Les entrelacs végétaux qui l'encadrent évoquent l'arbre sous lequel Siddharta Gautama obtint l'illumination. Le mystérieux personnage qui dépasse derrière lui est difficile à identifier ; peut-être s'agit-il de Mara, l'adversaire du Bouddha, une personnification du désir. Quant aux figures en bas-relief au dos du cylindre, qui comprennent un couple de personnages inspirés des *tikis*, il pourrait s'agir de Hina, avec Taaroa ou Fatou, et d'une danseuse. Le dialogue entre Hina et Fatou est d'ailleurs le sujet d'un autre cylindre, où deux personnages aux traits marquisiens, dont l'un lève le bras, se font face. Sur un dessin qui en reproduit le motif principal, l'artiste a en effet inscrit la légende *Parau Hina Tefatou* (*Hina parle à Fatou*).

Ce sont de ces différentes sculptures que s'inspirent les idoles représentées dans les tableaux de Gauguin. Autant d'images qui sont devenues des parties intégrantes de son répertoire figuratif tahitien et qu'il utilise librement chaque fois qu'il souhaite faire allusion aux anciennes croyances indigènes.

142

◆ Suzanne Bambridge (page ci-contre), 1891 ; huile sur toile ; 70 x 50 cm ; musées royaux des Beaux-Arts, Bruxelles. Cette Anglaise qui épousa un chef indigène parlait le maori et était bien introduite à la cour de Pomaré V, le dernier roi de Tahiti. Elle pouvait donc renseigner Gauguin sur les habitudes et les mœurs locales. Il s'agit d'un portrait de commande, ce qui explique le traitement assez conventionnel du visage dans cet ensemble stylisé et décoratif.

◆ Tête de jeune métisse, 1891 ; huile sur toile ; 36 x 30 cm ; musée des Beaux-Arts, Troyes. « Je crois que d'ici peu de temps j'aurai quelques portraits bien payés », écrit Gauguin à Mette avec un bel optimisme, trois jours après son arrivée à Papeete. Ses premiers contacts avec les notables locaux lui vaudront, de fait, quelques rares commandes à bas prix. Plutôt immédiat et rapidement brossé, ce portrait de jeune fille est assez éloigné des études attentives de Tahitiennes qu'il peindra par la suite.

144

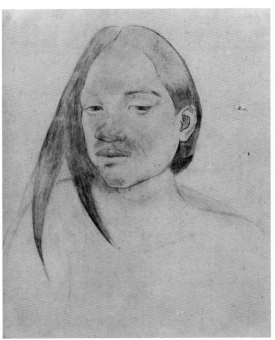

◆ Tahitienne *(en haut), 1891-1893; pastel et gouache; 40 x 31 cm; Metropolitan Museum of Art, New York.*

◆ Tête de Tahitienne, *1891; mine de plomb; 30,6 x 24,3 cm; Museum of Art, Cleveland. Ce dessin très poussé et parfaitement maîtrisé a servi d'étude pour un des personnages des* Parau parau *(voir page 150), un des premiers tableaux tahitiens de Gauguin. L'artiste aimait beaucoup ce visage, et le reprendra par la suite dans un monotype et une aquarelle.*

◆ Vahine no te tiare (La femme à la fleur), 1891 ; huile sur toile ; 70 x 46 cm ; Ny Carlsberg Glyptotek, Copenhague. Dans Noa Noa, Gauguin a raconté la genèse de ce tableau, un de ses premiers portraits de Tahitiennes : son désir de saisir le caractère particulier du charme des Maories, si différent de celui des Européennes, les réticences de son modèle, puis sa coquetterie de vouloir poser avec sa plus belle robe et une fleur. « Ce fut un portrait ressemblant à ce que mes yeux voilés par mon cœur ont aperçu. Je crois surtout qu'il fut ressemblant à l'intérieur », conclut-il.

146

◆ Faaturuma (La femme à la robe rouge ou Boudeuse), *1891; huile sur toile; 94,6 x 68,6 cm; Nelson-Atkins Museum of Art, Kansas City.*
Le thème de la rêverie mélancolique, très présent pendant cette première période tahitienne de Gauguin, renvoie à tout un courant de la peinture occidentale. Plus encore que l'expression du visage de cette jeune fille (peut-être Teha'amana), c'est son attitude qui reflète son état d'esprit, ainsi que les ondulations paisibles de sa robe, alliées à la couleur intense et sourde du tableau.

147

◆ Jeune Tahitien (Jeune homme à la fleur), *1891; huile sur toile; 46 x 33 cm; collection particulière.* Les portraits masculins sont exceptionnels dans la production tahitienne de Gauguin. Celui-ci se rapporte par son style au début du séjour dans l'île de l'artiste, et est à rapprocher d'un beau dessin de tête de jeune homme où le modèle, de face, arbore un air plus sûr de lui. Ce tableau plut à Matisse, à qui il a appartenu.

148

◆ Te tiare farani (Les fleurs françaises), 1891; huile sur toile; 72 x 92 cm; musée Pouchkine, Moscou. Il n'existe aucun rapport spatial ou thématique logique entre le bouquet, bien en évidence, et les deux personnages manifestement rajoutés après coup : juste des rapports de formes et de couleurs. La reprise d'un genre pictural associé à l'impressionnisme constitue pour Gauguin un moyen d'instaurer un lien entre la tradition figurative occidentale et cette réalité exotique qu'il est en train de découvrir.

◆ Le repas (Les bananes), *1891; huile sur papier marouflé sur toile; 73 x 92 cm; musée d'Orsay, Paris. Le repas » tahitien est loin de refléter une situation réelle. Gauguin entend surtout créer une composition décorative d'objets artificiellement* *disposés sur un plan, auxquels il a ajouté des personnages en pose sur un fond orné d'une frise fantaisiste. Il transfère ainsi dans l'univers tahitien la conception non réaliste de la nature morte avec figures qu'il s'était forgée dès sa période impressionniste.*

150

◆ Les parau parau (Les potins) *(page ci-contre, en haut)*, *1891 ; huile sur toile ; 71 x 92,5 cm ; musée de l'Ermitage, Saint-Pétersbourg. Composé à partir d'études d'après nature, ce tableau est une des nombreuses scènes de genre que Gauguin a peintes* *à cette époque.*
◆ Upaupa (Fête) *(page ci-contre, en bas), 1891 ; huile sur toile ; 73 x 92 cm ; musée d'Israël, Jérusalem. Pour fixer le souvenir de cette danse indigène frénétique et sensuelle, Gauguin a repris, en l'inversant, la structure de* La vision après le sermon.
◆ Te faaturuma (La boudeuse), 1891 ; huile sur toile ; 91 x 68 cm ; Art Museum, Worcester. Une autre figure féminine perdue dans ses pensées et plongée dans un environnement silencieux. Pour l'attitude de cette femme assise, Gauguin a peut-être songé à certaines danseuses de Degas. C'est d'ailleurs ce dernier qui, dès 1893, achètera la toile, témoignage d'une estime qui ne se démentira jamais pour la peinture de son cadet.

152

◆ La sieste, 1891-
1892 ou 1894;
huile sur toile;
87 x 116 cm;
collection particulière,
New York.
Ces femmes qui
paressent sur la
terrasse d'une de ces
maisons indigènes
calquées sur les
demeures coloniales
sont traitées de façon
antinaturaliste et
décorative. Elles ne
communiquent pas
entre elles, et leur
personnalité est juste
suggérée par leurs
attitudes, notamment
pour la figure de dos
au premier plan.

◆ Femmes de Tahiti
(Sur la plage) (ci-
contre), 1891;
huile sur toile;
69 x 91,5 cm; musée
d'Orsay, Paris.
Cette composition est
peut-être un écho de
Sur la plage (1873) de
Manet. Deux femmes
tirées de dessins d'un
même modèle
(Teha'amana), dont
l'une semble occupée
à tresser des fibres de
palmier, y sont
montrées assises avec
indolence dans un
décor peu défini, qui
pourrait aussi bien
représenter une plage
que la terrasse d'une
maison coloniale.

154

MATAMOE   P. Gauguin 92

◆ Matamoe (Le paysage aux paons) (page ci-contre), 1892 ; huile sur toile ; 115 x 86 cm ; musée Pouchkine, Moscou. Par ses dimensions et sa composante autobiographique, ce paysage est comparable à Rue de Tahiti (voir page 157).

On y aperçoit la case en bois - décrite dans Noa Noa et représentée dans d'autres œuvres - que l'artiste occupait à Mataiea, donnant à la fois sur la mer et sur la montagne, et le même bûcheron que dans le tableau L'homme à la hache.

◆ L'homme à la hache, 1891 ; huile sur toile ; 92 x 70 cm ; collection particulière. « L'homme presque nu levait de ses deux bras une pesante hache, laissant en haut son empreinte bleue sur le ciel argenté, en bas son incision sur l'arbre mort qui tout à l'heure revivrait un instant de flammes, chaleurs séculaires accumulées chaque jour. Sur le sol pourpre, de longues feuilles serpentines d'un jaune de métal », note Gauguin dans Noa Noa.

◆ Te raau rahi (Le grand arbre), *1891; huile sur toile; 74 x 92,8 cm; Museum of Art, Cleveland.*

◆ Chemin à Papeete (Rue de Tahiti) *(page ci-contre), 1891; huile sur toile; 115,5 x 88,5 cm; Museum of Art, Toledo (Ohio). Cette vue se rattache à un bref séjour de*

Gauguin à Papeete en automne 1891, après son installation à Mataïea. La case, les figures debout et le cheval proviennent de croquis antérieurs; la femme assise devant sa porte est la même

que dans Te faaturuma. *Le paysage, construit avec la monumentalité de certaines de ses toiles de la Martinique, reprend la structuration autour de diagonales des Alyscamps.*

158

◆ Fatata te mouà (La montagne est proche), 1892; huile sur toile; 68 x 92 cm; musée de l'Ermitage, Saint-Pétersbourg.
Dans Noa Noa, Gauguin a décrit les environs de sa case à Mataiea, associant cet endroit à plusieurs de ses œuvres. On retrouve ainsi, dans ce tableau comme dans Matamoe, le grand manguier « adossé à la montagne » qui masquait une grotte, lieu à forte valeur symbolique. Ici cependant, le mystère réside avant tout dans les couleurs fabuleuses : le bleu du ciel, les verts profonds, le jaune du soleil couchant qui embrase l'arbre, et le rose vif du sol.

◆ Matamua (Autrefois ou Il était une fois) (page ci-contre), 1892; huile sur toile; 93 x 72 cm; collection Thyssen-Bornemisza, Madrid.

160

◆ E haere oe i hia (Où vas-tu?), 1892; huile sur toile; 96 x 69 cm; Staatsgalerie, Stuttgart.
La figure féminine du premier plan, qui serre un chiot contre son flanc, sera une des sources de la statuette en céramique Oviri, où son geste acquerra une forte signification symbolique. Le personnage du fond est en revanche calqué sur la femme accroupie de Quand te maries-tu? (voir page 163). Gauguin avait coutume de revenir sur ses figures favorites en les reproduisant avec ou sans variations.

◆ Ta matete (Le
marché), *1892*;
tempera sur toile;
73 x 92 cm;
Kunstmuseum, Bâle.
Composition en forme
de frise décorative, où
la stylisation des
personnages trahit
leur modèle égyptien.
D'autres sources ont
cependant été
proposées;
la diversité des
interprétations
suggérées prouve
que sa datation
et son sujet posent
encore quantité
de problèmes.
Les cinq femmes
assises portent
la chaste robe
préconisée par les
missionnaires et
tiennent toutes
quelque chose
à la main.

162

◆ Vahine no te miti (Femme de la mer) (en haut), 1892; huile sur toile; 93 x 74,5 cm; Museo Nacional de Bellas Artes, Buenos Aires. La luminosité violente de l'atmosphère et le traitement décoratif des vagues, du paréo et des fleurs accentuent par contraste la qualité sculpturale de ce dos, peint à partir d'un dessin au crayon où les ombres étaient très marquées.

◆ Étude pour « Nafea faaipoipo » (Quand te maries-tu?) (en bas), 1892; fusain et pastel sur papier; 55,3 x 47,8 cm; Art Institute, Chicago.

◆ Nafea faaipoipo (Quand te maries-tu?) (page ci-contre), 1892; huile sur toile; 105 x 77,5 cm; Fondation Rudolf Staechelin. Soigneusement étudié dans un dessin préparatoire, le personnage du premier plan forme avec l'autre un groupe très décoratif, sur fond de paysage tahitien. Chacune de ces femmes possède une signification symbolique différente, voire opposée : la première, vêtue d'un paréo rouge, est projetée vers l'amour charnel évoqué par le titre tandis que l'autre, vêtue d'une robe « de la mission », fait le geste bouddhiste qui signifie « enseignement ».

164

◆ Aha oe feii? (Eh quoi! tu es jalouse?), 1892; huile sur toile; 68 x 92 cm; musée Pouchkine, Moscou. Gauguin considérait comme une de ses meilleures œuvres ce tableau prétendument fait « de chic », c'est-à-dire d'un seul jet. En réalité, sa composition est très étudiée. Le personnage du premier plan est tiré d'une frise du théâtre de Dionysos à Athènes, l'autre fut peut-être introduit dans un second temps. Malgré le titre, il ne semble pas y avoir de dialogue entre les deux femmes : « S'il nous représente la jalousie, c'est par un incendie de roses et de violets où la nature entière semble participer comme être conscient et tacite », notait en 1894 le critique Achille Delaroche.

◆ Vahine no te vi (La femme au mango) (page ci-contre), 1892; huile sur toile; 72,4 x 44,5 cm; Museum of Art, Baltimore. À travers ce superbe portrait de Teha'amana, Gauguin a voulu exprimer tout le charme et la sensualité de la femme tahitienne. La mangue est un symbole de fécondité (la jeune fille attendait un enfant), quant à la posture debout, avec la tête inclinée d'un côté, elle provient d'un dessin de Prud'hon représentant Joseph et la femme de Putiphar dont Gauguin connaissait une reproduction publiée par son tuteur Arosa. Le tableau est bâti sur une opposition résolue entre le jaune du fond et le violet de la robe.

166

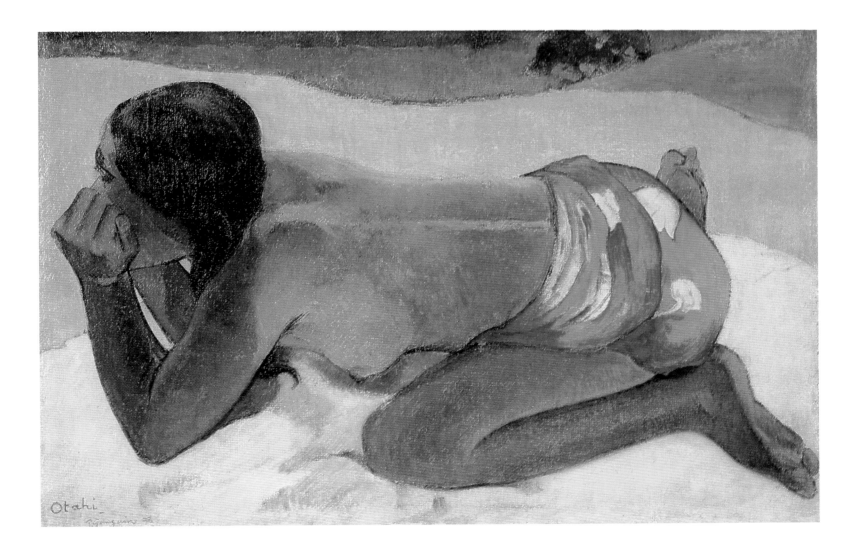

◆ Hina et Fatou *(page ci-contre, en haut), sans doute 1892 ; bois de tamanu ; h. 32,7, d. 14,2 cm ; Art Gallery of Ontario, Toronto.*
Ces représentations du dialogue entre Hina et Fatou s'inspirent de tikis marquisiens. Les mêmes personnages reviennent dans une aquarelle d'Ancien culte mahorie *et dans la xylographie* Te atua, *signe de l'importance que Gauguin accordait à ces figures « ultra-sauvages » de son invention.*

◆ Idole à la perle *(page ci-contre, en bas à gauche), sans doute 1892 ; bois de tamanu polychrome et doré ; h. 25, d. 12 cm ; musée d'Orsay, Paris.*
Depuis longtemps familiarisé avec l'iconographie des religions orientales, Gauguin a attribué à cette idole au visage polynésien une posture et des attributs propres aux représentations du Bouddha ou de Çiva. La perle fait ainsi allusion à l'œil de la vision intérieure.

◆ Idole à la coquille *(page ci-contre, en bas à droite), 1892 ; toa (bois de fer) orné de nacre et d'os ; h. 27, d. 14 cm ; musée d'Orsay, Paris.*
La nacre qui sert d'auréole au personnage a permis de l'identifier avec Taaroa, dieu suprême du panthéon polynésien, dont l'univers était la coquille. Gauguin en a fait une divinité sauvage, dotée de dents en os et d'ornements gravés inspirés de l'art marquisien.

◆ Otahi (Seule), *1893 ; huile sur toile ; 50 x 73 cm ; collection particulière.*
Ce motif de dos féminin a intéressé Gauguin car il pouvait se ramener à des formes simples et décoratives. La posture de la jeune femme, probablement fréquente chez les Tahitiennes, provient d'un croquis à l'aquarelle d'après modèle de 1892, mais renvoie aussi à divers pastels de Degas dont Gauguin avait réalisé des croquis.

L'inspiration religieuse et le symbolisme tahitien

La curiosité de Gauguin pour tout ce qui avait trait au patrimoine religieux des peuples, à la formation des croyances et à la survivance, au sein du monde moderne, de formes de mentalité archaïque, devait tout naturellement le conduire à une quête de mythes et de divinités autres. C'était aussi cela qu'il allait chercher à Tahiti : l'aboutissement des préoccupations qui s'étaient précisées dans ses œuvres bretonnes de 1889-1890. Sa transposition d'un sujet chrétien dans un environnement tahitien avec *Ia orana Maria (Je vous salue Marie)* précède sa découverte des fondements de l'ancienne mythologie polynésienne et témoigne d'une grande liberté dans la transformation de personnages et de décors pourvus d'une iconographie bien codifiée. Le croquis qui accompagne, dans une lettre à Monfreid, du 11 mars 1892, sa description de ce tableau montre que, à l'origine, le format était horizontal. Gauguin a ensuite repeint sa toile dans l'autre sens, le format vertical correspondant mieux à celui d'un retable, et la couche picturale trahit, du reste, cette exécution laborieuse. Il a voulu transférer une sorte de mélange d'Annonciation, de Nativité et d'Adoration de la Vierge dans un cadre, une atmosphère et des costumes polynésiens, y ajoutant la singulière innovation iconographique de l'enfant sur les épaules de la Vierge. Il a ainsi inventé un fantastique paradis exotique, enrichi par une somptueuse nature morte associant les bananes rouges du *Repas* à des bananes jaunes et des fruits de l'arbre à pain. Un ange aux ailes jaunes et mauves y figure auprès de femmes en paréo venues rendre hommage à Marie, dans l'attitude des personnages en procession des frises de Borobudur.

La lecture des *Voyages aux îles du Grand Océan* va cependant bientôt fournir à Gauguin les outils qui lui manquaient pour mieux exploiter le registre du sacré sur ce mode exotique qui l'intéresse, tout en lui suggérant quelques idées de motifs à peindre. Une des légendes qu'il a recopiées dans son manuscrit *Ancien culte mahorie*, celle de l'origine de la secte des Aréois, jadis dominante à Tahiti, censée descendre du dieu Horo et de la belle Vaïraumati (ou Vairumati), fait l'objet d'au moins deux tableaux. Vaïraumati, une jeune fille de Bora Bora d'une beauté exceptionnelle - « Elle était de haute stature et le feu du soleil brillait dans l'or de sa chair tandis que les mystères de l'amour sommeillaient dans la nuit de ses cheveux » - est ainsi la protagoniste de *Vaïraumati tei oa (Vaïraumati est son nom)*. Derrière elle se tient le dieu Horo, et l'on aperçoit au fond une des premières transpositions en peinture des idoles en bois sculpté créées par l'artiste : un couple de profil reprenant les traits des *tikis*. Dans *Te aa no Areois (Le germe des Aréois)* en revanche, Vaïraumati est représentée seule, une noix germée à la main, symbole du germe de sa lignée, assise dans une position analogue à celle de la toile précédente, mais le visage tourné vers le spectateur, ce qui l'apparente encore davantage à *L'Espérance* de Puvis de Chavannes.

Fatou, sous l'aspect d'une idole sauvage inspirée des *tikis*, apparaît pour la première fois dans un paysage imaginaire qui évoque les sanguinaires rites disparus relatés par Moerenhout, *Parahi te marae (Là est le temple)*. Ce tableau est censé montrer l'enceinte entourant le temple où s'accomplissaient des sacrifices humains, un lieu qui n'existait plus à Tahiti, à supposer qu'il eût jamais existé. Une statue de la cruelle divinité barbare se dresse dans le fond, isolée par une barrière ornée de petits crânes, allusion à la pratique du cannibalisme rituel. Mais l'atmosphère générale provient, plus que de la présence de l'idole et du titre évocateur de cultes anciens, de la spectaculaire simplification formelle, avec l'aplat jaune vif de l'aire sacrée, le rose flamboyant des fleurs et aussi le tracé sobre et décoratif de l'enceinte, inspiré d'un croquis d'ornement d'oreille marquisien agrandi.

S'intéressant à toutes les grandes religions de l'humanité, Gauguin ne pouvait qu'être attiré par un point de vue syncrétiste et se montrer sensible à la portée universelle des grands motifs ou événements chrétiens et bibliques. Ève devient ainsi une des figures centrales de son imaginaire dès ses premiers essais de primitivisme artistique et d'exotisme naïf de l'année 1890. Dans un des tableaux les plus audacieux de son premier séjour à Tahiti, *Te nave nave fenua (Terre délicieuse)* de 1892, son *Ève exotique* de deux ans plus tôt a évolué en un provocant nu frontal, située dans un paradis terrestre où poussent des fleurs fantaisistes et tentée, non plus par un serpent, inconnu dans ces îles, mais par l'animal que les missionnaires ont choisi pour représenter le tentateur aux indigènes, le lézard. Ce dernier, auquel des ailes d'une fantastique couleur rouge confèrent une dimension imaginaire, apparaît juste à côté de la tête de la femme, à l'instar du monstre ailé d'une lithographie de Redon illustrant *La tentation de saint Antoine*.

Parau na te varua ino (Paroles du diable), toujours de 1892, associe quant à lui croyances tahitiennes et chrétiennes pour représenter la peur chez un esprit primitif. Le nu dans une attitude pudique, tiré de dessins de Teha'amana, représente une Ève polynésienne après la faute, personnification d'un léger remords, mais surtout de la crainte causée par la présence de deux figures négatives inventées par Gauguin : le *varua ino*, esprit malin ayant, en l'occurrence, l'aspect d'un personnage encapuchonné de noir au regard phosphorescent, et le curieux masque rouge et vert du coin supérieur droit. L'atmosphère étrange et les paroles diaboliques du titre semblent se matérialiser dans les feuilles de pandanus allongées et sinueuses éparpillées sur le sol, « lettres [...] d'une langue inconnue mystérieuse » *(Noa Noa)* - éléments décoratifs d'un bel effet présents dans d'autres toiles de cette période - ainsi que dans le rose vif du sol ponctué de fleurs vermillon, la végétation enchevêtrée et les sombres ondulations du tronc d'arbre. Le *varua ino* revient dans d'autres tableaux sur le thème de la peur, comme *Parau hanohano (Paroles terrifiantes)* et la version de 1892 de *Contes barbares*, à propos desquels Morice, dans le catalogue de l'exposition de 1893 chez Durand-Ruel, fera ce commentaire : « Quelqu'un conte une dangereuse histoire et dans la naïveté d'un des écoutants, la légende a pris corps, elle déforme terriblement la nature aux yeux agrandis, phosphorescents, du crédule, et la nuit douce de Tahiti s'est peuplée d'êtres redoutables, inconnus, innommés, anciennes divinités déchues ou vieux morts qui veillent [...]. »

Manao tupapau (L'esprit des morts veille), peint vers la fin de l'année 1892, s'inspire d'un épisode relaté dans *Noa Noa* : une nuit, en rentrant tard chez lui, l'artiste a découvert Teha'amana couchée dans la pénombre, les yeux grands ouverts, en proie à une terreur extrême, « pour quelqu'un des démons et spectres, des *tupapaus* dont les légendes de sa race emplissent les nuits sans sommeil ». Parmi les explications qu'il fournit à Mette, dans une lettre du 8 décembre 1892, pour éclairer les visiteurs qui verraient ce tableau exposé à Copenhague en mars 1893 (explications qui seront reprises dans le *Cahier pour Aline*, commencé vers la même époque), figure le récit de la genèse de l'œuvre : Gauguin détaille l'effet qu'il désirait produire avec son nu couché et les couleurs du paréo, du drap, puis insiste sur son intention de faire « tout simplement une étude de nu océanien ». Comme ce nu, par sa position, aurait facilement pu sembler impudique alors qu'il le voulait tout à fait innocent, il lui avait adjoint un volet plus symbolique, la peur des *tupapau*, des revenants, obsession des Tahitiens, une des rares traces subsistant encore de leur mentalité primitive, à des lieues du positivisme moderne. La facture du tableau devait être aussi simple que l'idée à communiquer, une terreur enfantine, d'où une suite de lignes horizontales et une harmonie de couleurs « sombre, triste, effrayante sonnant dans l'œil comme un glas funèbre ». Les lignes « horizontales ondulantes », les « accords d'orangé et de bleu reliés par des jaunes et des violets leurs dérivés », éclairés par des « étincelles verdâtres », constituaient la partie musicale de l'œuvre, tandis que la « partie littéraire » était la peur du *tupapau* sous l'aspect d'une petite bonne femme aux yeux phosphores-

cents, accompagnée d'émanations phosphorescentes des esprits des morts, perçus mais non vus par la jeune fille.

Pape moe (Eau mystérieuse), de 1893, est également expliqué dans *Noa Noa* par un épisode vécu, ou censé l'être. L'artiste affirme en effet avoir aperçu, lors d'une excursion dans les forêts de l'intérieur escarpé de l'île, une femme nue en train de boire et de se rafraîchir près d'une cascade. Sentant une présence étrangère, celle-ci aurait ensuite plongé dans l'eau et mystérieusement disparu. En révisant le texte, Morice a considérablement alourdi son symbolisme : la femme, vêtue de rouge, serait ainsi venue boire à la source pour accomplir le rite du retour à l'état sauvage, projection de la transformation nécessaire à l'artiste pour pénétrer la mentalité primitive. Que l'épisode ait réellement eu lieu ou pas, que cette expédition dans les montagnes et cette apparition aient ou non été suggérées par le roman de Loti, la source d'inspiration figurative du tableau est en tout cas depuis longtemps identifiée. Il s'agit de la photographie d'un Tahitien buvant à une source prise par un certain Charles Spitz, document qui allait paraître en 1899 sous le titre *Végétation aux Îles-sous-le-Vent* dans un livre appelé *Autour du monde*. Dans le tableau, cette scène devient mystérieuse - on entrevoit en effet dans la grotte la forme d'un poisson et plusieurs autres figures indistinctes - tout en se chargeant d'allusions symboliques. Le jet d'eau jaillissant du rocher peut ainsi évoquer le rayon de lumière qui, dans la légende polynésienne, ranime la déesse de la lune, Hina. De fait, *Pape moe* rappelle une

autre toile, *Hina Tefatou* (1893), où une figure féminine de dos représentant Hina boit à une source devant une sombre image masculine, Fatou.

Hina, divinité féminine dispensatrice de vie, revient dans divers tableaux sous deux aspects différents. Tantôt elle revêt une forme de *tiki* arrondi et simplifié, qui lui donne une allure de divinité égyptienne, tantôt elle est représentée de face, les bras ouverts, telle que Gauguin l'a sculptée sur un de ses cylindres en bois. Il a en effet inventé ces deux aspects de la déesse dans ses sculptures, et ceux-ci se sont ensuite intégrés au vocabulaire de ses tableaux tahitiens, à l'instar de certaines formes végétales décoratives qu'il introduit fréquemment dans ses compositions les plus complexes pour créer une atmosphère sacrée, hors du temps. À ces images d'idoles se trouve parfois associée une danse rituelle proche de la *Upaupa*, cette danse érotique profane que l'artiste a peinte en 1891. Hina apparaît ainsi entourée de danseuses à l'arrière-plan de *Matamua (Autrefois* ou *Il était une fois)* - scène imaginaire d'une civilisation polynésienne avant la colonisation - comme dans le fond d'*Arearea (Joyeusetés)*. Ces deux toiles font partie d'un triptyque idéal qui serait complété par *Pastorales tahitiennes* (fin 1892), œuvre dont Gauguin se disait particulièrement satisfait. Selon lui en effet, ce tableau ressemblait, malgré ses couleurs vives comportant du vermillon et du vert Véronèse, à un « vieux tableau hollandais » ou à une tapisserie, et le titre français qu'il lui a donné, faute d'en trouver un qui corresponde en

langue maorie, voulait évoquer la musique, le son de la flûte de roseau dont joue le personnage de droite. Il s'agit d'une de ses visions imaginaires de Tahiti les plus sobres et les plus incisives, avec ses figures et son décor traités en arabesques et en formes abstraites colorées, sans oublier le fameux chien orangé du premier plan, qui fit sensation à Paris. Pourquoi tant d'arbitraire, s'interrogeront les critiques. Gauguin coupera court. Cet arbitraire était voulu, il était nécessaire ; tout dans ses œuvres est « calculé, médité longuement ».

Le dernier tableau qu'il peint avant son départ est consacré à celle qui fut sa compagne pendant de longs mois, Teha'amana. Le portrait *Merahi metua no Tehamana (Teha'amana a de nombreux parents)* synthétise en effet ce que Gauguin a découvert, ou cru découvrir, dans l'âme maorie, bref, ce qu'il lui attribue. Son titre fait allusion à l'usage indigène de répartir les enfants entre une parentèle élargie, comme l'artiste lui-même en avait fait l'expérience quand il avait dû rencontrer la famille de la jeune fille. Teha'amana a été peinte d'après des dessins pour lesquels elle avait posé, vêtue de la pudique robe « de la mission », ses cheveux ornés de fleurs, avec à la main un éventail, attribut de noblesse, et auprès d'elle des man-gues, emblèmes de fécondité. La mentalité traditionnelle, les antiques croyances, ce qui reste d'indéchiffrable pour l'artiste chez les Tahitiens, est contenu dans es symboles dessinés sur le mur du fond : la déesse Hina, des esprits malins et divers glyphes, sans rapport avec les signes d'écriture connus en Polynésie.

170

Fatata te miti

◆ Fatata te miti (Près de la mer), *1892; huile sur toile; 68 x 92 cm; National Gallery of Art, Washington. Passer des heures à rêver, immobiles, ou bien se baigner dans l'océan : telles semblaient être les occupations des Tahitiennes. Gauguin restitue ici tout le plaisir de la baignade avec une composition* sobre et décorative aux couleurs vives, dont il reprendra en 1894 la structure, avec quelques aménagements, pour une autre scène de genre, Arearea no varua ino. Le motif de la baigneuse qui se jette dans l'eau provient d'œuvres antérieures comme Dans les vagues (1889).

◆ Ia orana Maria (Je vous salue Marie) (page ci-contre), *1891-1892; huile sur toile; 113,7 x 87,7 cm; Metropolitan Museum of Art, New York. Au printemps 1892 à Tahiti, Gauguin travaille beaucoup, accumulant les études et les documents. Il vient en outre de réaliser un tableau, dont il se dit « assez* content » dans une lettre à Monfreid datée du 11 mars : « Un ange aux ailes jaunes indique à deux femmes tahitiennes Marie et Jésus tahitiens aussi - du nu vêtu du paréo [...] Fond de montagne très sombre et arbres à fleurs. Chemin violet foncé et premier plan vert émeraude; à gauche des bananes. »

IA ORANA MARIA

172

◆ Vaïraumati tei oa (Son nom est Vaïraumati) *(page ci-contre), 1892; huile sur toile; 91 x 60 cm; musée Pouchkine, Moscou.*
Gauguin a transcrit dans Ancien culte mahorie *le récit de l'origine mythique des Aréois, secte autrefois dominante à Tahiti, et il s'en est inspiré pour deux tableaux très voisins. Les Aréois se* disaient nés de l'union du dieu Horo et de Vaïraumati,très belle jeune fille. Observée par un homme qui figure sans doute le dieu, Vaïraumati est ici assise dans une posture inspirée par L'Espérance *de Puvis de Chavannes. On notera le curieux détail moderne de la cigarette.*

◆ Parahi te marae (Là est le temple), *1892; huile sur toile; 68 x 91 cm; Museum of Art, Philadelphie. Le sujet de cette toile, où apparaît au fond une idole en forme de tiki des Marquises, a été expliqué par Gauguin dans une lettre à sa femme, en prévision d'une future exposition : il s'agit* du marae, « endroit réservé au culte des Dieux et aux sacrifices humains ». Ces lieux sacrés qui abritaient d'antiques rites barbares, peut-être cannibales, n'existaient en tout cas plus à Tahiti. Gauguin n'en avait eu connaissance que par la lecture du livre de Moerenhout.

174

◆ Paroles du Diable (Ève), *vers 1892; pastel sur papier; 77 x 35,5 cm; Kunstmuseum, Bâle.*

◆ Parau na te varua ino (Paroles du Diable) *(page ci-contre), 1892; huile sur toile; 91,7 x 68,5 cm; National Gallery of Art, Washington. Ce simple nu évoquant une Ève* après la faute s'inscrit *dans un décor mystérieux et complexe, qui intègre les thèmes de la tentation et de la peur. Prennent ainsi corps, ces esprits qui effrayaient tant les Tahitiens -* tupapau, varua ino -, *et les paroles diaboliques du titre se matérialisent dans les sinueuses feuilles de pandanus,* « semblables, lit-on dans Noa Noa, *aux lettres d'un ancien alphabet disparu ».*

◆ Te nave nave fenua
(Terre délicieuse),
vers 1892 ; aquarelle
sur papier ;
40 x 32 cm ; musée
de Peinture et de
Sculpture, Grenoble.

◆ Te nave nave fenua
(Terre délicieuse)
(page ci-contre),
1892 ; huile sur toile ;
91 x 72 cm ; Ohara
Museum of Art,
Kurashiki.
C'est sans doute
en songeant à cette

puissante image que
Strindberg, en 1895,
expliqua à Gauguin
qu'il lui était
impossible de
comprendre son art :
« Vous avez créé une
nouvelle terre et un
nouveau ciel, mais je

ne me plais pas
au milieu de votre
création, elle est trop
ensoleillée pour moi
qui aime le clair-
obscur. Et dans votre
paradis habite une
Ève qui n'est pas mon
idéal [...]. »

178

◆ Arearea
(Joyeusetés), *1892;
huile sur toile;
75 x 94 cm; musée
d'Orsay, Paris.*
L'arbitraire des
couleurs scandalisera
la critique; il était
pourtant nécessaire,
plaidera Gauguin:
« tout dans mon
œuvre est calculé,
médité…. C'est de la
musique, si vous
voulez! J'obtiens par
des arrangements de
lignes et de couleurs,
avec le prétexte d'un
sujet quelconque [...],
des harmonies ne
représentant rien
d'absolument réel au
sens vulgaire du mot,
n'exprimant
directement aucune
idée, mais qui doivent
faire penser… sans le
secours des idées ou
des images,
simplement par des
affinités mystérieuses
qui sont entre nos
cerveaux et tels
arrangements [...]. »

◆ Manao tupapau (L'esprit des morts veille), 1892; huile sur toile; 73 x 92 cm; Albright-Knox Art Gallery, Buffalo (N.Y.).

« Manao Tupapau
Le mur déjà s'endort.
L'Olympia couchée
brune sur la jonchée
des arabesques d'or
et qui fane et profane
de son corps
diaphane,
soleil enseveli,
l'or pâli de son lit,
rêve à de vieux
mystères :
par les nuits solitaires
l'âme des morts
dormant
ressuscitait amants. »
(Alfred Jarry)
Jarry, qui rencontra
Gauguin à la pension
Gloanec fin juin 1894,
composa des poèmes
sur trois de ses toiles
exposées chez
Durand-Ruel au mois
de novembre
précédent.

180

181

◆ Pape moe (Eau mystérieuse) *(page ci-contre)*, 1893 ; huile sur toile ; 99 x 75 cm ; collection particulière.

◆ Pastorales tahitiennes, *fin 1892 ; huile sur toile ; 87,5 x 113,7 cm ; musée de l'Ermitage, Saint-Pétersbourg. Le titre évoque la musique et la poésie bucolique, comme le suggère le* personnage qui joue *de la flûte de roseau, nommée* vivo *en* maori. *Cette scène est parfois interprétée comme un clair de lune car, dans* Noa Noa, *Gauguin associe le* vivo *à la nuit :* « Les roseaux alignés et distancés de ma case s'apercevaient de mon lit avec les filtrations de la lune tel un instrument de musique [...] mais silencieux [...]. Je m'endormis à cette musique. »

182

◆ Hina Tefatou (La
Lune et la Terre),
1893; huile sur toile;
112 x 62 cm;
Museum of Modern
Art, New York.
Le jet d'eau, source
de vie mystérieuse
de Pape moe, est
ici associé à un
personnage féminin
évoquant Hina, la
déesse de la Lune,
opposée au sombre
Fatou qui a refusé
d'accorder
l'immortalité
aux hommes.

◆ Merahi metua no
Tehamana
(Teha'amana a de
nombreux parents),
1893; huile sur toile;
76 x 52 cm; Art
Institute, Chicago.
Gauguin a raconté
que, lorsqu'il
rencontra la famille de
Teha'amana, il fut
surpris de voir deux
femmes se présenter
comme sa mère,
suivant l'usage local
de se répartir les
enfants au sein d'une
parentèle élargie.

Le dernier séjour en France

Pendant les vingt-deux mois que Gauguin a passés en Europe, de septembre 1893 à juillet 1895, la peinture est loin d'avoir été son activité principale. Il a certes peint au moins deux chefs-d'œuvre, le portrait d'*Annah la Javanaise* et *Jeune chrétienne*. Toutefois, l'écriture et les arts graphiques l'ont occupé davantage, avec des résultats exceptionnellement novateurs dans ses gravures sur bois pour *Noa Noa*, et c'est une sculpture en céramique, *Oviri*, autre chef-d'œuvre, qui a constitué son testament spirituel et son adieu à la civilisation occidentale. Son lien avec Tahiti, dont il a désormais intégré le caractère et l'atmosphère, est proclamé dans chacun des tableaux qu'il produit durant son séjour en France. C'est le cas lorsqu'il peint son nouveau cadre de vie, un atelier de la rue Vercingétorix aménagé comme un « atelier des mers du Sud », sorte d'œuvre d'art totale, émanation de son « moi » sauvage. C'est aussi le cas quand il représente ses nouveaux amis musiciens, écrivains ou jeunes artistes. Il introduit dans ces œuvres le même sens de la couleur et de la composition que dans ses toiles polynésiennes, y glisse de nombreux renvois à ces dernières, n'hésitant pas à leur attribuer des titres en langue maorie, et peint en outre de mémoire diverses synthèses idéalisées de l'univers océanien. Dans son *Autoportrait au chapeau*, il pose devant le tableau qu'il considérait comme la plus belle réussite de son travail à Tahiti, *Manao tupapau*. Au verso de cet autoportrait a longtemps figuré un portrait de William Molard. Jeune compositeur d'avant-garde passionné de Wagner, Molard occupait un atelier voisin de celui de Gauguin. Marié à une femme sculpteur, Ida Ericson, il était aussi le beau-père d'une adolescente de treize

ans, Judith. Le prénom de cette dernière apparaît d'ailleurs dans le mystérieux titre tahitien - *Aita tamari vahine Judith te parari (La femme-enfant Judith n'est pas encore dépucelée)* - du portrait d'Annah la Javanaise, la jeune Cinghalaise qui vivait alors avec l'artiste, en une sorte de confrontation antithétique avec le personnage représenté. Annah est en effet montrée nue, de face, avec sa guenon apprivoisée, dans un fauteuil aux bras sculptés de style oriental, trop grand pour son corps menu, ce qui produit un effet analogue à celui du *Portrait d'Achille Emperaire* par Cézanne. Ce portrait d'Annah s'impose en outre par la sobriété et la netteté de l'image, les oppositions de couleurs décidées entre le fond rose uni, le bleu du fauteuil, l'orangé du singe, le jaune et le bleu violacé du sol, et enfin le motif décoratif sombre de la plinthe géométrique ajourée.

Le titre de *Upaupa Schneklud*, portrait d'un musicien suédois rencontré par l'intermédiaire des Molard, jette un pont entre deux univers avec la référence, adaptée à la connotation musicale de l'œuvre, à cette célèbre danse tahitienne à laquelle l'artiste avait assisté et dont il avait sûrement parlé à ses nouveaux amis. Il s'agit d'un tableau complexe : la position du corps et des mains s'inspire d'une photographie de Fritz Schneklud jouant du violoncelle, mais les traits, peu ressemblants, évoquent vaguement ceux de Gauguin, musicien amateur notoire qui jouait de plusieurs instruments. De surcroît, en concevant ce portrait, l'artiste a sans doute eu en tête l'*Autoportrait au violoncelle* de Courbet, qui fit partie de la collection Arosa et dont il possédait une photographie. Et de fait, il y a bien quelque chose de musical dans les formes et

dans la couleur de cette toile, dans sa composition basée sur une succession de courbes amples s'accordant, du premier plan jusqu'au fond, au geste du musicien et à la configuration de son instrument, dans l'harmonie de ses teintes chaudes, s'échelonnant de l'orangé vif au brun et contrastant avec le bleu du costume.

Le paysage urbain *Paris sous la neige* tranche quant à lui avec le style qui est désormais celui de Gauguin et pourrait passer pour un retour à l'impressionnisme. Il s'agit en effet d'un hommage au peintre impressionniste Gustave Caillebotte, mort le 21 février 1894, et alors au centre d'une controverse entre les officiels et le camp des modernes à propos de la donation de sa collection de tableaux au Louvre. Un groupe d'œuvres de cette collection avait été exposé par Durand-Ruel, dont des *Toits sous la neige* peints par Caillebotte. Ceux-ci ont suggéré à Gauguin cette vue de la fenêtre de son atelier, où il introduit cependant une note très personnelle de rouge et d'ocre vif sur les murs et les personnages, et une autre dans les arabesques décoratives des branches d'arbres dénudées du premier plan.

L'importance que les arts graphiques acquièrent pour Gauguin durant cet hiver 1893-1894, avec sa série de gravures sur bois à sujets tahitiens, part de motivations d'ordre pratique : la promotion des tableaux qu'il a rapportés de Tahiti et la mise au point de stratégies pour en favoriser la compréhension, stratégies qui vont de son importante exposition personnelle chez Durand-Ruel à la rédaction d'un texte plus ou moins autobiographique et explicatif en rapport avec ces toiles, *Noa Noa*. Les gravures devaient en principe constituer des images aisées à diffuser de ces nouveaux motifs

généralement jugés hermétiques mais, comme toujours chez Gauguin, les considérations commerciales et l'objectif financier finissent par devenir marginaux ou par échouer, laissant le champ libre à la création artistique. Le graphisme, auquel il s'était déjà brillamment essayé en 1889 avec son album de zincographies exposé au café Volpini, devient à présent pour lui une alternative à la peinture, un moyen d'expression à la fois différent et intermédiaire. Son projet d'illustrer *Noa Noa* de xylographies se dissocie bientôt de la narration écrite, donnant lieu à un processus créatif autonome dans une technique on ne peut mieux adaptée au monde primitif et mystérieux de cette Tahiti imaginaire qu'il a peinte, et qui se révélera en définitive beaucoup plus efficace et inventive que le texte.

Gauguin a gravé ses planches en associant des signes grossièrement taillés, rudimentaires, et des traits plus fins et délicats. La technique d'impression artisanale, les variations d'encre, de papier, de pression, de fonds colorés, confèrent à ces gravures une immédiateté et une imprécision fortement expressives. La technique de la xylographie japonaise *ishizuri-e*, où la dominante noire du fond laisse affleurer des objets d'un blanc lumineux et des signes subtils comme des phosphorescences, constituait un procédé idéal pour transposer ses motifs tahitiens dans un univers nocturne, plus fantastique et secret que celui des tableaux. Cette première suite de gravures liées à *Noa Noa* comprend dix planches : *Auti te pape (L'eau douce est en mouvement* ou *Jouant dans l'eau douce)* ; *Te po (La nuit)* ; *Te atua (Le dieu)* ; *Noa Noa (Odorant)* ; *Te faruru (Faire l'amour)* ; *Nave nave fenua (Terre délicieuse)* ; *Maruru (Satisfait)* ;

Mahna no varua ino (Le jour du mauvais esprit) ; *Manao tupapau (Elle pense au revenant)* et *L'univers est créé*. Leurs thèmes sont librement inspirés des tableaux de l'artiste, dont elles isolent ou associent divers éléments. La série est ouverte, sans début ni fin, Gauguin n'ayant attribué aucun ordre défini à ses planches. Son intention initiale de vulgariser ses motifs tahitiens les plus remarquables ou significatifs s'est en pratique élargie à des variations sur un thème (*Te nave nave fenua, Manao tupapau*), faisant appel à différents procédés comme l'aquarelle, la xylographie, le monotype. Et des images jaillies d'une vision essentiellement coloriste se sont ainsi muées, sous l'effet de ces nouvelles techniques où la ligne et le contraste entre noir et blanc priment, en figures primordiales, énigmatiques, originelles. Les monotypes ont été réalisés à partir de matrices à l'aquarelle, à la gouache ou au pastel, sur lesquelles était posée une feuille de papier humide de façon à obtenir une reproduction inversée du motif. À partir d'une même matrice, l'artiste pouvait ainsi produire jusqu'à trois dessins-empreintes. Il renforçait ensuite les zones trop claires ou rajoutait d'autres éléments, de sorte qu'il n'y avait jamais deux dessins imprimés identiques, et que la plupart se révélaient des hybrides d'impression et de dessin ou de peinture. En s'éloignant de leur motif matrice, ces formes affaiblies, estompées, issues de tableaux bretons ou tahitiens, se faisaient douces et évanescentes, acquérant un caractère onirique de réminiscences. Gauguin aimait beaucoup le fruit de ses expériences artisanales. Il a d'ailleurs collé quelques-unes de ses réalisations dans son manuscrit de *Noa Noa*. Sensible à la beauté et à l'ex-

pressivité de ces petits travaux éminemment personnels et originaux, qui dépassaient largement le cadre d'une simple explication de ses toiles, il poursuivra ce type d'expériences graphiques à son retour en Polynésie. Les rares scènes tahitiennes qu'il a terminées ou peintes de mémoire en France constituent des synthèses idéales aux ambitions décoratives et monumentales, même si leurs dimensions sont souvent relativement réduites. La composition schématique et symétrique de *Mahana no atua (Le jour de Dieu)* entend ainsi rivaliser avec les grandes fresques allégoriques de Puvis de Chavannes comme *Le bois sacré*. L'univers mythique de Tahiti, représenté au centre par une effigie de la déesse Hina, son décor naturel, les occupations quotidiennes sur l'île, s'y déploient dans une dimension atemporelle, avec diverses figures en pose peintes de mémoire ou tirées de tableaux antérieurs, un découpage en plans essentiels, des plages de couleurs vives délimitées par des rythmes linéaires abstraits. *Nave nave moe (Eau délicieuse)* constitue également une transcription de mémoire, à vocation décorative, de plusieurs motifs tahitiens. Quant à *Arearea no varua ino (Sous l'empire du revenant)*, il s'agit d'une variante de *Fatata te miti*, où un tronc d'arbre divise diagonalement la scène, séparant l'épisode de genre - les Tahitiennes au repos - de la vision sacrée avec la déesse Hina. Celle-ci n'est toutefois plus représentée les bras levés, en tant que dispensatrice de vie et destinataire de la danse rituelle, mais comme une sombre effigie, reflet psychologique probable des pénibles événements qui coïncidèrent avec l'exécution de ce tableau, peint à Pont-Aven

et dédié à Mme Gloanec. L'incident de Concarneau, avec la douloureuse fracture et l'immobilité qui s'en sont suivies, a en effet restreint les possibilités de peindre de Gauguin, le cantonnant à des travaux de petit format sur des matériaux légers, des monotypes aquarellés, des dessins-impressions. Le plus beau des rares tableaux qu'il a réalisés pendant ce séjour en Bretagne est son portrait de *Jeune chrétienne*. L'identité du modèle reste inconnue : peut-être s'agissait-il de la maîtresse de son ami Monfreid, à laquelle il aurait offert un masque de Tahitienne en bois pour la remercier d'avoir posé. On retrouve en tout cas dans son attitude l'influence des orantes des tableaux flamands de Van der Weyden ou de Memling, que Gauguin connaissait par ses visites au Louvre et dont il avait récemment eu l'occasion d'admirer divers chefs-d'œuvre dans les musées de Bruges, d'Anvers et de Bruxelles. La distance qu'il avait naguère commencé à prendre, à Pont-Aven précisément, envers le type de peinture qui saisit la vérité d'une atmosphère à travers les détails d'un paysage, des personnages et de leurs costumes, est résolument affichée dans ce portrait brossé sur les mêmes lieux. La jeune fille en prière sur fond de paysage breton n'a plus rien de breton par son type ni par sa robe, analogue à celles qu'imposaient les missionnaires aux Tahitiennes. L'abolition des limites spatio-temporelles est du reste une des conquêtes auxquelles Gauguin est parvenu dans ses visions idéales de Tahiti : des lieux et des temps différents coexistent ainsi sur une même image, formellement cohérente. Une image colorée en l'occurrence car, comme l'ont noté plusieurs critiques, le véritable sujet du tableau semble

bien être l'extraordinaire jaune de la robe.

Le bilan négatif sur le plan personnel de ce dernier séjour en Bretagne, le sentiment d'être devenu étranger au monde artistique parisien, renforcé par l'incompréhension témoignée à ses nouvelles œuvres, décident enfin Gauguin à retourner pour toujours dans les îles, et sa sculpture en céramique *Oviri (Sauvage)* est un adieu. Cette pièce, qui témoigne d'une grande habileté technique dans le traitement diversifié de sa surface, en partie opaque et en partie recouverte d'émaux colorés, est aussi l'exceptionnel résultat de son ultime collaboration avec Chaplet. Il s'agit de sa création la plus importante, et la plus formidablement novatrice, de ce dernier séjour à Paris. Elle combine des personnages de tableaux antérieurs, comme la femme qui serre un chiot contre son flanc dans *E haere oe i hia (Où vas-tu ?)* de 1892, des transpositions originales de figures des reliefs de Borobudur représentant la fécondité et l'image des crânes momifiés aux yeux incrustés de nacre des chefs marquisiens divinisés après leur mort. Cela donne une entité féminine terrible, totalement inédite, d'une beauté monstrueuse : une tueuse qui prend la vie et la donne en même temps. Son symbolisme complexe, à la fois universel et très personnel, tourne autour de la destruction du moi civilisé, prix du retour régénérateur à l'état sauvage. Car Gauguin s'identifie désormais avec le sauvage, intitulant aussi *Oviri* l'autoportrait de profil qu'il réalise vers la même époque en plâtre, un matériau qu'il n'avait encore jamais travaillé auparavant. Cette œuvre ne nous est toutefois parvenue que sous sa version plus tardive en bronze.

186

◆ Autoportrait à la palette, *vers 1894; huile sur toile; 92 x 73 cm; collection particulière. Une comparaison avec l'autoportrait danois de 1885 révèle la transformation radicale de Gauguin. Il apparaît ici très* calme, comme le *maître incontesté du symbolisme, sur une image sobre et imposante où son costume et son couvre-chef lui donnent l'air d'un mage.*

◆ Autoportrait au chapeau *(page ci-contre), hiver 1893-1894; huile sur toile; 46 x 38 cm; musée d'Orsay, Paris. Cette fois, l'artiste s'est représenté dans le décor exotique de son atelier de la rue Vercingétorix, aux* murs peints de jaune et de vert, devant la plus remarquable des œuvres qu'il a rapportées de son premier séjour à Tahiti, Manao tupapau.

188

◆ Auti te pape (L'eau
douce est en
mouvement ou Jouant
dans l'eau douce) *(en
haut), 1893-1894;
xylographie pour* Noa
Noa; *20,3 x 35,4 cm;
Art Institute, Chicago.*

◆ Te po (La nuit) *(en
bas), 1893-1894;
xylographie pour* Noa
Noa; *20,6 x 35,6 cm;
Art Institute, Chicago.*

Te atua (Le dieu)
(en haut), 1893-1894;
xylographie pour Noa
Noa; 20,3 x 35,2 cm;
Art Institute, Chicago.

Maruru (Satisfait)
(en bas), 1893-1894;
xylographie pour Noa
Noa; 20,5 x 35,5 cm;
Art Institute, Chicago.

◆ Te atua (Le dieu)
(en haut), 1893-1894;
xylographie pour Noa
Noa; 20,3 x 35,2 cm;
Art Institute, Chicago.

◆ Maruru (Satisfait)
(en bas), 1893-1894;
xylographie pour Noa
Noa; 20,5 x 35,5 cm;
Art Institute, Chicago.

190

◆ Mahna no varua ino
(Le jour du mauvais
esprit) *(en haut),*
1893-1894;
xylographie pour Noa
Noa; *20,2 x 35,6 cm;
Art Institute, Chicago.*

◆ Manao tupapau
(Elle pense au
revenant) *(en bas),*
1893-1894;
xylographie pour Noa
Noa; *20,3 x 35,6 cm;
Art Institute, Chicago.*

◆ Te faruru (Faire l'amour) *(à gauche), 1893-1894; xylographie pour* Noa Noa; *35,6 x 20,3 cm; Art Institute, Chicago.*

◆ Nave nave fenua (Terre délicieuse) *(à droite), 1893-1894; xylographie pour* Noa Noa; *35,4 x 20,1 cm; Art Institute, Chicago. Charles Morice vit en cette série de* xylographies pour Noa Noa *« une révolution dans l'art de la gravure », et Julien Leclercq fut sensible à leur position intermédiaire parmi les autres formes d'expression de Gauguin : « Ses gravures sur bois, d'un dessin que sa sculpture nous avait déjà révélé, établissent l'harmonie* bien personnelle de celle-ci avec sa peinture [...]. Entre la sculpture et la peinture, c'est une œuvre intermédiaire qui tient autant de l'une que de l'autre. Imaginez de très bas reliefs, aux formes pleines, imprimés grassement, avec, pour rompre la monotonie des noirs et des blancs, une *note sobre de rouge ou de jaune. Il s'en dégage des effets de puissance qui sont le secret du tempérament de l'artiste. »*

192

◆ Nave nave moe
(Joie de se reposer ou
Douces rêveries),
1894 ; huile sur toile ;
73 x 98 cm ; musée de
l'Ermitage, Saint-
Pétersbourg.
Les rares scènes
exotiques que l'artiste
a peintes ou achevées
à son retour en France
tendent à présenter
Tahiti comme une
terre promise.
Combinaisons
simplifiées et
décoratives de motifs
de son répertoire
antérieur, elles
revêtent quantité de
sens symboliques,
comme le suggèrent
les deux femmes du
premier plan de cette
toile, dans un paysage
ramené à des formes
abstraites, aux
couleurs arbitraires,
au fond duquel on
aperçoit l'inévitable
manguier et une
danse rituelle devant
une double idole.

193

◆ Mahana no atua (Le jour de Dieu), *1894; huile sur toile; 68,3 x 91,5 cm; Art Institute, Chicago. Cette œuvre, sans doute réalisée en même temps que les gravures pour* Noa Noa *dont elle reprend divers motifs, constitue une synthèse des tableaux tahitiens de Gauguin; Richard Brettell y a même vu une « somme théologique » de la Polynésie. Son iconographie et son symbolisme complexe visaient à attirer l'attention des littérateurs. Cependant, les artistes du début du XXe siècle admireront surtout le traitement audacieux du premier plan en formes libres et abstraites.*

194

◆ Arearea no varua
ino (Sous l'empire du
revenant ou
L'amusement du
mauvais esprit) (en
haut), 1894 ; huile sur
toile ; 60 x 98 cm ; Ny
Carlsberg Glyptotek,
Copenhague.
Un pot-pourri de
thèmes et de motifs
tahitiens, qui a la
particularité de refléter

les désagréables
événements survenus
à l'occasion du retour
de l'artiste en
Bretagne (auquel fait
allusion la dédicace
à Mme Gloanec). On
assiste notamment
à une modification
de l'image de Hina,
figure massive dont
les bras ne sont plus
levés pour donner la

vie, mais baissés :
elle n'est plus la
destinataire de la
danse rituelle, mais
une funeste idole qui
annonce la statuette
Oviri.

◆ Arearea no varua
ino (en bas), 1894 ;
monotype à
l'aquarelle ;
24,5 x 16,5 cm ;

National Gallery of
Art, Washington.

◆ Annah la Javanaise
(Aita tamari vahine
Judith te parari) (page
ci-contre), 1893-
1894 ; huile sur toile ;
116 x 81 cm ;
collection particulière.

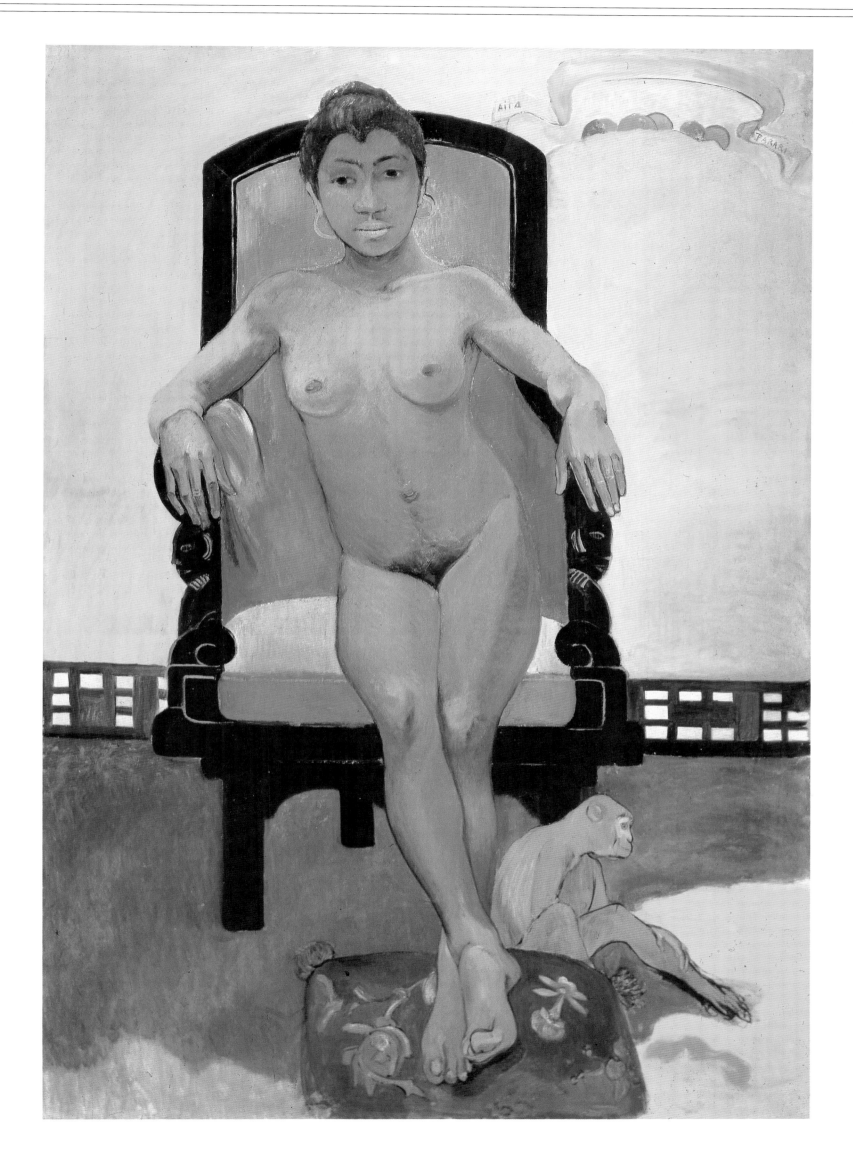

196

◆ Paris sous la neige, 1894; huile sur toile; 71,5 x 88 cm; Rijksmuseum Vincent Van Gogh, Amsterdam.
À la fin février 1894, de retour d'un voyage en Belgique, Gauguin peint les toits enneigés de Montparnasse du haut des fenêtres de son atelier. Il s'agit d'un dernier hommage à l'impressionnisme, et plus particulièrement à Gustave Caillebotte, qui venait de disparaître.

◆ Le moulin David à Pont-Aven, *1894;* huile sur toile; *73 x 92 cm; musée d'Orsay, Paris.* « *Oui, je marche avec une canne en boitant et c'est un désespoir pour moi de ne pouvoir aller loin peindre un paysage; néanmoins depuis huit jours j'ai* recommencé à prendre les pinceaux », *écrit* l'artiste dans une lettre à William Molard de septembre 1894. Ce paysage, qui évoque ceux d'Arles, est un des plus réussis qu'il ait réalisés pendant ce séjour peu productif à Pont-Aven.

198

◆ Paysannes bretonnes (Deux Bretonnes sur la route), *1894; huile sur toile; 66 x 92,5 cm; musée d'Orsay, Paris. Le paysage est plutôt conventionnel, et les deux grandes figures rappellent des Tahitiennes. Gauguin s'était rendu en Bretagne pour peindre, mais une fracture à la jambe l'a* réduit à l'immobilité. *Du reste, il se sent désormais bien loin de l'univers breton; sa vraie place est ailleurs. De Pont-Aven, il écrit en septembre à Molard qu'il compte vendre ses œuvres pour réunir de quoi regagner l'Océanie :* « Rien ne m'empêchera de partir et ce sera pour toujours. »

◆ Jeune chrétienne *(page ci-contre), 1894; huile sur toile; 65 x 46 cm; Sterling and Francine Clark Art Institute, Williamstown (Mass.). L'harmonie de cette libre association d'éléments disparates - l'attitude des saintes et des dévotes des tableaux flamands, le paysage breton, la robe tahitienne - brillamment* orchestrée autour *du splendide jaune du tissu, fait de ce tableau un chef-d'œuvre. Gauguin n'a plus besoin de s'ancrer à un lieu, à une réalité particulière. Il parvient désormais à unifier toutes les expériences visuelles accumulées dans sa mémoire, tous les motifs qui se sont formés dans son imagination.*

200

◆ Upaupa Schneklud
(Le violoncelliste),
1894; huile sur toile;
92,5 x 73,5 cm;
Museum of Art,
Baltimore.
Pour ce portrait du
musicien suédois
Fritz Schneklud,
Gauguin s'est inspiré
d'une photographie et
devait aussi avoir en
tête un ancien tableau
de la collection Arosa,
l'Autoportrait au
violoncelle de
Courbet, dont il
possédait une
reproduction. En
1902, il concevra une
autre image très
semblable, Le
guitariste, portrait
de son ami P. Durrio.

◆ Nuit de Noël, *1894;*
huile sur toile;
72 x 83 cm;
collection particulière,
Lausanne.
Comme Village breton
sous la neige, *il s'agit*
probablement d'une
des toiles peintes par

Gauguin pendant son
séjour en Bretagne
de 1894. On ne peut
toutefois exclure que
ces œuvres aient été
réalisées de mémoire
après l'installation
définitive de l'artiste
en Océanie.

202

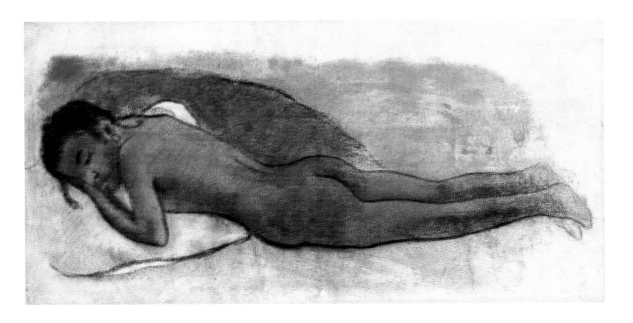

◆ Nu couché *(en haut)*, 1894-1895 ; fusain, craie noire et pastel ; 30 x 62 cm ; collection particulière. On dirait une étude pour Manao tupapau mais, en réalité, ce pastel demeure énigmatique. En effet, son modèle diffère de celui de la célèbre toile. De plus, une étude très poussée d'Annah la Javanaise figurait au verso, ce qui inciterait plutôt à le dater du séjour en France de l'artiste.

◆ Tahitienne *(en bas)*, 1894 ; fusain et pastel ; 57 x 49,5 cm ; Brooklyn Museum, New York. Ce dessin d'une facture élaborée est difficile à situer chronologiquement, ne serait-ce qu'en raison de l'habitude de Gauguin de reprendre d'anciennes études d'après nature pour en faire des œuvres autonomes. Les dates de 1891 ou des alentours de 1900 ont aussi été avancées.

◆ Oviri *(page ci-contre, en haut)*, 1895 ; xylographie dédicacée à Mallarmé ; 20,8 x 12 cm ; Art Institute, Chicago. Avec des procédés d'impression de son cru, Gauguin a ici donné à Oviri l'« aspect d'une créature engendrée par le limon séculaire d'une noire terre nourricière [...], la transformant en un être androgyne du fond des âges » (R. Brettell).

◆ Oviri (Sauvage) *(page ci-contre, en bas)*, 1894 ; grès cérame en partie émaillé ; 75 x 19 x 27 cm ; musée d'Orsay, Paris. « En tout cas j'affirme orgueilleusement que personne n'a encore fait cela », écrit Gauguin à Ambroise Vollard. Conscient d'avoir créé une œuvre exceptionnelle, il sera très déçu par le désintérêt que manifesteront la critique et le public à l'égard de cette étonnante céramique.

204

◆ Cochons noirs et autres motifs tahitiens, vers 1897; aquarelle et encre; musée du Louvre, département des Arts graphiques (Orsay). La page 63 du manuscrit de Noa Noa regroupe trois dessins différents : un détail de La Femme au mango, une scène tirée du tableau Te Fare Hymene (La maison des chants) et un épisode de l'histoire de Horo impliquant une truie noire flanquée de ses sept petits, que Gauguin a aussi illustré dans Ancien culte mahorie.

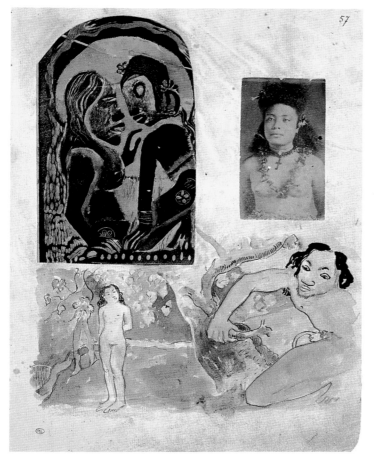

◆ Page 57 de Noa
Noa : *collage
comportant un
dialogue entre Hina et
Fatou, une indigène et
une version tahitienne
du paradis terrestre (à
gauche), vers 1897 ;
xylographie,
photographie et
aquarelle ; musée du
Louvre, département
des Arts graphiques
(Orsay), Paris.*

◆ *Tahitienne assise,
illustration collée sur
la page 172 de* Noa
Noa *(à droite), 1896-
1897 ; aquarelle,
plume et encre ;
19,5 x 17 cm ; musée
du Louvre,
département des Arts
graphiques (Orsay),
Paris.*

Le retour en Polynésie et le symbolisme de la couleur

Le tableau qui ouvre la première phase de production importante de Gauguin à son retour à Tahiti est *Te arii vahine (La femme du roi)*, dont une description et un croquis figurent dans une lettre à Monfreid, d'avril 1896. Une femme nue, couchée dans un paysage édénique, avec dans sa main droite l'attribut royal de l'éventail, y adopte la position d'une *Diane au repos* de Cranach et d'un personnage des reliefs de Borobudur, d'où proviennent également divers détails végétaux et animaliers. Si cette reine indigène a bien quelque chose de l'*Olympia* de Manet (Julien Leclercq l'appellera d'ailleurs *L'Olympia noire*), elle évoque cependant avant tout une Ève dans le paradis terrestre, et sera comprise comme telle, même si figurent au fond des personnages étrangers à l'iconographie de la mère de l'humanité : une servante cueillant des fruits et deux vieillards. Gauguin a peint cette figure archétypique de tentatrice inaccessible dans des couleurs d'une « grande sonorité grave » dont il était parfaitement satisfait. Une autre toile superbe, *Te tamari no atua* (littéralement *Le fils de Dieu*), transposition polynésienne de la naissance du Christ, lui fait pendant par son sujet, dont la portée universelle intéresse Gauguin et sur lequel il reviendra par la suite sur un mode encore plus syncrétiste. Il s'agit d'une reprise partielle d'une scène analogue plus faiblement traitée, *Bé bé (Enfant)*, de la même année 1896. La naissance du premier enfant de sa nouvelle vahiné, Pahura, peut lui avoir suggéré ce thème de la nativité, mais le tableau n'a rien d'anecdotique. Cette composition méditée intègre divers modèles occidentaux, parmi lesquels une citation presque textuelle de l'*Intérieur d'une étable* (1837) d'Octave Tassaert - qui avait appartenu à Arosa - pour les vaches, animaux inconnus à Tahiti. Les détails sont en outre particulièrement soignés. Le somptueux lit aux montants sculptés s'inspire ainsi de décors architecturaux maoris que l'artiste avait vus au musée d'Auckland, et sa frise géométrique rappelle la *plinthe* du portrait d'*Annah la Javanaise*.

Diverses scènes de vie quotidienne peintes entre la fin 1896 et le début 1897, avec des figures en plein air ou dans des intérieurs, témoignent, par rapport aux motifs analogues de la période précédente, d'une évolution dans le chromatisme, ainsi que dans l'équilibre entre le milieu et les personnages, au bénéfice de ces derniers. *No te aha oe riri (Pourquoi es-tu fâchée ?)* calque ainsi la structure d'un paysage avec figures de 1891, *Te raau rahi (Le grand arbre)*, mais avec un cadrage plus serré, et substitue un palmier au mythique manguier des paysages autobiographiques de la période 1891-1892 tout en suggérant, par son titre, une situation ou un état d'esprit que ses protagonistes ne contribuent guère à expliciter. Ceux-ci deviennent pourtant les éléments centraux de la scène, mais leurs attitudes évoquent davantage une façon générale de vivre que des événements contingents. *Nave nave mahana (Jour délicieux)* est une des premières compositions monumentales de l'artiste dont les figures sont disposées en frise, dans des attitudes et suivant une répartition dans l'espace qui rappellent les décorations murales de Puvis de Chavannes. Les éléments du cadre naturel, les arbres notamment, servent davantage à souligner la verticalité et la succession rythmique des personnages qu'à camper un véritable paysage. Ce dernier est plutôt suggéré par la couleur, dont la dominante rouge, du jaune orangé au brun doré, offre une synthèse de la lumière et de la chaleur tahitiennes dans une dimension idéale de quiétude et de sérénité hors du temps.

« Tout est rêve dans cette toile ; est-ce l'enfant, est-ce la mère, est-ce le cavalier dans le sentier ou bien encore est-ce le rêve du peintre ! », écrit Gauguin en mars 1897 à Monfreid, à propos d'un autre tableau qu'il s'est hâté de terminer pour l'expédier en France, *Te rerioa (Le rêve)*. Dans cet intérieur exotique où le calme et le silence règnent, deux femmes assises à même le sol, proches de celles que l'artiste a peintes dans plusieurs toiles de 1891-1892, ont rappelé à certains auteurs le groupe central des *Femmes d'Alger* de Delacroix. S'y ajoutent un enfant endormi dans un berceau sculpté de motifs anthropomorphes, un cavalier qui s'éloigne vers le fond d'un paysage ambigu, dont on ne sait trop s'il s'agit d'une vue réelle ou d'un tableau dans le tableau, et des murs ornés d'idoles sculptées ou peintes, d'animaux fantastiques et de personnages enlacés, sortis tout droit du monde nocturne et mystérieux des gravures de l'artiste. Au demeurant, le « rêve du peintre » n'est-il pas ici la couleur, d'une tonalité grave et harmonieuse, comme pour le pendant en extérieur de cette toile, *Te vaa (La pirogue)* ? Dans ce dernier, l'immobilité des personnages, les contours cernés, la dominante rougeâtre d'un coucher de soleil tropical - et une sobriété qui est bien dans l'esprit du *Pauvre pêcheur*, un tableau de Puvis que Gauguin admirait tout particulièrement - suggèrent une fois de plus le paisible silence d'une existence très lointaine dans l'espace et le temps. En se confrontant à la grande tradition des compositions avec figures, Gauguin perçoit plus que jamais ses liens avec la culture littéraire et figurative occidentale, et entretient avec elle un dialogue serré, voire une opposition pointilleuse. L'*Olympia* reste la référence première de ses nus, et notamment de celui du tableau le plus important de sa période 1896-1897, *Nevermore*. Il en a longuement parlé à Monfreid, dans une lettre de février 1897, pour clarifier sa position quant à la source d'inspiration littéraire du titre, le poème de Poe « Le corbeau » et, par le biais des traductions qu'ils en avaient données, Baudelaire et Mallarmé. « J'ai voulu avec un simple nu suggérer un certain luxe barbare d'autrefois, explique-t-il. Le tout est noyé dans des couleurs volontairement sombres et tristes ; ce n'est ni la soie, ni le velours, ni la batiste, ni l'or qui forme ce luxe mais purement la matière devenue riche par la main d'artiste. Pas de foutimaise… l'imagination de l'homme seule a enrichi de sa fantaisie l'habitation. Pour titre, *Nevermore* ; non point le corbeau d'Edgar Poe, mais l'oiseau du diable qui est aux aguets. C'est mal peint (je suis si nerveux et je travaille par saccades), n'importe je crois que c'est une bonne toile. » Renouant avec *Manao tupapau* et *Te arii vahine*, Gauguin a donc peint un superbe nu couché de Pahura, caressé par une chaude lumière tropicale que captent le drap bleu et le coussin jaune, sur un fond décoratif aux ornements floraux bidimensionnels. Il y traite des relations texte-image, poésie-peinture, sur le mode du contraste. Son *Nevermore* oppose en effet à l'atmosphère nocturne du poème de Poe, à son décor somptueux et à la présence envahissante du corbeau devant lequel s'efface la Lénore évoquée par les vers, l'imposante et incontournable figure féminine du premier plan, réduisant l'oiseau obsédant à un petit volatile anodin, semblable à un jouet, et rajoutant deux personnages en conversation, présences invisibles pour la jeune fille, mais qu'elle semble percevoir. Seule l'harmonie générale des couleurs tristes et sourdes, dans une gamme de lilas, de violets et de bleus opposés au jaune, suggère l'atmosphère oppressante, suspendue, mystérieuse du poème.

Baigneuses, de 1897, propose en revanche une version purement coloriste d'un des thèmes favoris de l'artiste. Ses figures sont empruntées à ses précédents tableaux tahitiens, et comme fondues dans une nature aux couleurs fabuleuses de paradis terrestre. C'est bien là le nirvana, ce rêve entrevu que Gauguin avait évoqué dans sa lettre à Strindberg.

« Dame, ce n'est pas une toile faite comme un Puvis de Chavannes, études d'après nature, puis carton préparatoire, etc. Tout cela est fait de chic, du bout de la brosse, sur une toile à sacs pleine de nœuds et rugosités, aussi l'aspect en est terriblement fruste. On dira que c'est lâché… pas fini. Il est vrai qu'on ne se juge pas bien soi-même mais cependant je crois que non seulement cette toile dépasse en valeur toutes les précédentes, mais encore que je n'en ferai jamais une meilleure ni une semblable. J'y ai mis là avant de mourir toute mon énergie, une telle passion douloureuse dans des circonstances terribles, et une vision tellement nette sans corrections, que le hâtif disparaît et que la vie en surgit. Cela ne pue pas le modèle, le métier et les prétendues règles - dont je me suis toujours affranchi, mais quelquefois avec peur. C'est une toile de 4,50 m sur 1,70 m de haut. Les deux coins du haut sont jaune de chrome avec l'inscription à gauche et ma signature à droite telle une fresque abîmée aux coins et appliquée sur un mur or. À droite et en bas, un bébé endormi, puis trois femmes accroupies. Deux figures habillées de pourpre se confient leurs réflexions ; une figure énorme volontairement et malgré la perspective, accroupie, lève les bras en l'air et regarde, étonnée, ces deux personnages qui osent penser à leur destinée. Une figure du milieu cueille un fruit. Deux chats près d'un enfant. Une chèvre blanche. L'idole, les deux bras levés mystérieusement et avec rythme semble indiquer l'au-delà. Figure accroupie semble écouter l'idole ; puis enfin une vieille près de la mort semble accepter, se résigner à ce qu'elle pense et termine la légende ; à ses pieds un étrange oiseau blanc tenant en sa patte un lézard, représente l'inutilité des vaines paroles. Tout se passe au bord d'un ruisseau sous bois. Dans le fond, la mer puis les montagnes de l'île voisine. Malgré les passages de ton, l'aspect du paysage est constamment d'un bout à l'autre bleu et vert Véronèse. Là-dessus toutes les figures nues se détachent en hardi orangé. » Ces informations détaillées, que Gauguin fournit à son ami Daniel de Monfreid sur sa grande composition décorative *D'où venons-nous ? Que sommes-nous ? Où allons-nous ?* dans une lettre de février 1898 agrémentée d'un croquis, ne sont fiables que jusqu'à un certain point. Car il existe bien une étude pour ce tableau : un dessin préparatoire au crayon sur papier calque, mis au carreau et rehaussé à l'aquarelle et au pastel. Il est plus fidèle que le croquis de la lettre (où la partie droite du paysage est plus développée), et correspond aux proportions réelles, les dimensions données à Monfreid étant supérieures à celles de l'œuvre définitive. En fait, Gauguin a soigneusement étudié sa composition. Bien qu'il l'ait datée de 1897, il y a travaillé pendant plusieurs mois l'année suivante avant de l'expédier en juillet en France, et l'effet de non fini, les disproportions, les défauts, en somme, que lui-même y reconnaissait, ne proviennent nullement d'une exécution spontanée. Ils étaient inhérents à cette œuvre, issue d'une vision intérieure achevée, construite à partir d'un répertoire figuratif très personnel et qui n'avait guère de rapport avec les prérogatives traditionnelles de la grande peinture déco-

rative (le fini, le « métier », la clarté, l'intelligibilité), même si les critiques ne pouvaient manquer de l'y comparer, compte tenu de son format et de son aspect général. C'était du reste bien à cette tradition que, assez sciemment en fait, Gauguin se mesurait. Or comment se défendre de l'accusation d'avoir transgressé les principes de l'art décoratif symbolique mieux qu'en insistant sur les douloureuses circonstances autobiographiques qui l'avaient conduit à cette transposition, en formes et en couleurs, d'une idée déjà parfaitement constituée dans sa pensée ? Si la critique lui reprochait un certain inachèvement, des défauts de dessin, une monotonie de ton et un sens trop obscur, c'était qu'elle passait à côté de sa véritable intention : suggérer, et non démontrer, une idée « philosophique » par le pouvoir communicatif de la couleur, analogue à celui de la musique, et qui devenait dès lors le moyen de créer l'atmosphère générale, la tonalité du tableau.

Un groupe d'œuvres en relation avec *D'où venons-nous ? Que sommes-nous ? Où allons-nous ?* fut exposé avec cette dernière chez Vollard en novembre-décembre 1898. Elles formaient un ensemble hors du commun, par leur exotisme énigmatique et la priorité qu'elles accordaient à la couleur. Il s'agit de toiles qui reprennent, à l'identique ou avec des variations, des personnages ou des portions de la grande scène, mais peintes chacune dans une tonalité dominante : rouge, jaune, bleue ou verte. On trouve ainsi parmi les répliques partielles *La récolte* - un homme qui cueille des fruits dans un paysage jaune avec deux chèvres blanches - et *Fa'aare (Se réveiller)*, un personnage qui lève les bras on ne sait trop quoi, peint dans des rouges contrastant avec le vert de la végétation. Sont en revanche des variantes un *Paysage aux deux chèvres* conservé à Saint-Pétersbourg, dont l'atmosphère crépusculaire est suggérée par des tons pourpres et bleu profond, et *Te pape nave nave (L'eau délicieuse)*, un paradis païen avec une Ève déchue et quelques baigneuses plaquées sur une surface vermillon, devant un paysage sombre où se dresse une effigie de la déesse Hina. Le personnage féminin assis près de la vieille femme de *D'où venons-*

nous ? Que sommes-nous ? Où allons-nous ? devient, sur un siège ouvragé somptueusement doré, *Vairumati*, la mère des Aréois, sous une autre forme que dans les représentations plus fidèles au mythe peintes en 1892. Quant à *Rave te hiti ramu (L'idole)*, il s'agit d'une variante complexe, reprenant également l'iconographie et le symbolisme d'*Oviri*, comme l'indique son titre qui signifie littéralement « saisir, monstre, vorace ».

Les tableaux réalisés aussitôt après privilégient une conception monumentale et décorative de la peinture. Il s'agit de compositions étudiées, avec des figures disposées en frise, en train d'offrir ou de cueillir des fleurs ou des fruits dans des paysages rythmés par des arbustes, au chromatisme simple et vibrant. La version de 1899 de *Rupe rupe (La cueillette des fruits* ou *Luxuriant)* est la plus puissante de ces toiles monumentales. Ses personnages et sa végétation se détachent sur un fabuleux fond jaune d'or, dans une atmosphère paisible, mythique.

Le très décoratif *Cheval blanc*, de la même période, est un tableau mystérieux, dont la simplicité n'est qu'apparente. Le cheval qui s'ébat dans l'eau, transposition d'un motif de la frise ouest du Parthénon, est au centre d'un décor naturel de branchages, traités en arabesques enchevêtrées, et de larges plages de couleur aux contours curvilignes, dans une harmonie de bleus et de verts ponctuée de quelques notes orangées, dont les deux cavaliers nus semblent une sorte d'émanation. Le blanc, couleur associée par les Polynésiens au pouvoir et au deuil, est ici obtenu avec toutes les couleurs présentes dans le tableau, mais éclaircies, conformément aux théories optiques des impressionnistes. D'où la valeur symbolique de ce cheval, qui n'échappera certes pas à Franz Marc.

Dans son isolement artistique, Gauguin instaure un dialogue approfondi avec les grands maîtres, alimenté par son petit musée personnel de reproductions d'œuvres du passé. Recourant davantage à des assonances et des transpositions qu'à des citations bien reconnaissables, il emprunte des rythmes, des harmonies de gestes, des façons de regrouper les figures et de les relier entre elles. Et c'est cette forme

originale de sensibilité à l'histoire de l'art, ce dépassement d'un décorativisme abstrait fondé sur le synthétisme au profit d'un naturel accru et de la conquête d'un classicisme dans la composition, qui rend ces tableaux de figures si différents des motifs analogues qu'il a peints pendant sa première période tahitienne. Dans une de ses toiles les plus célèbres, *Les seins aux fleurs rouges* (1899), le fond de végétation, les vêtements, les attitudes et même le contenu du plat que porte la jeune fille au torse nu (fleurs ou aliments ?) ne correspondent à aucune réalité locale ou restent difficilement identifiables. Les personnages transmettent simplement des principes universels et proclament avant tout la valeur atemporelle de l'art. Leurs positions sont celles de figures des reliefs de Borobudur, d'antiques offrantes, et leurs costumes tiennent autant du péplum que du paréo. *Femmes au bord de la mer* a pour sa part l'ampleur d'une composition monumentale classique, malgré ses dimensions assez réduites. Ses femmes aux poses étudiées, aux gestes sobres et calmes, semblent provenir de temps immémoriaux et sont plongées dans une atmosphère teintée de rose et de violet qui suggère, associée au brun doré des corps, au vert d'eau du paréo, aux ombres bleues et au blanc composite du linge de la femme qui allaitait, un coucher de soleil. La couleur est le maître absolu, le sujet de l'œuvre. Elle concentre toute l'expressivité picturale des tableaux de cette période, que l'on peut pour cette raison rapprocher de *D'où venons-nous ? Que sommes-nous ? Où allons-nous ?* Ce sont ainsi ses accords harmonieux de rose corail, de gris-bleu, de jaune, qui sauvent de l'anecdotique une scène autobiographique telle que *Tu attends une lettre ?* (1899). Les personnages de ces œuvres ont un air de déjà vu, car ils sont de plus en plus souvent calqués sur ceux des compositions antérieures. Et même les transpositions d'œuvres classiques chères à l'artiste se transforment peu à peu en *topoi*, en lieux communs comme, dans *Scène de la vie tahitienne*, ce porteur emprunté à un bas-relief de la colonne Trajane ou cette femme au bras levé tirée d'une frise du Parthénon, avec leurs gestes à valeur universelle.

208

◆ Te tamari no atua (Le fils de Dieu ou La naissance du Christ) (ci-contre), 1896; huile sur toile; 96 x 128 cm; Neue Pinakothek, Munich. En décembre 1896, la nouvelle vahiné de Gauguin, Pahura, donna le jour à une fillette (qui mourut toutefois peu après). La perspective de cet événement peut avoir suggéré à l'artiste ce tableau autour du thème de la Nativité, qui prolonge ses revisitations antérieures des grands épisodes du christianisme à partir d'un symbolisme personnel. Au fond figurent une transposition littérale de l'Intérieur d'une étable de Tassaert et les personnages du tableau contemporain Bé bé. Plus encore que la femme, couchée sur un superbe lit fort peu tahitien, la protagoniste de la toile est la couleur - le jaune lumineux du drap contrastant avec le bleu du paréo - obtenue par une technique picturale très élaborée.

◆ Bé bé (Nativité tahitienne) (ci-dessus), 1896; huile sur toile; 66 x 75 cm; musée de l'Ermitage, Saint-Pétersbourg.

210

◆ Te arii vahine (La femme du roi), 1896; huile sur toile; 97 x 130 cm; musée Pouchkine, Moscou. Les innombrables sources occidentales et orientales identifiées pour la figure couchée n'enlèvent rien à l'originalité de cette image féminine archétypique, combinaison de reine indigène, de Diane chasseresse et d'Ève tentatrice. Gauguin a puisé dans son petit musée personnel de reproductions, où figuraient notamment une Diane au repos de Cranach, un moine étendu au milieu d'oiseaux et d'une végétation abondante et, bien sûr, l'Olympia de Manet.

212

◆ Scène de la vie tahitienne, *1896*; *huile sur toile*; *89 x 124 cm*; *musée de l'Ermitage, Saint-Pétersbourg.* Une scène de genre se trouve ici transformée en événement universel, hors du temps. Un guerrier de la colonne Trajane a servi de modèle pour l'homme qui marche plié en avant, et un personnage de la frise du Parthénon pour la femme au bras levé. La présence de ces emprunts à l'art classique, qu'on ne retrouve ensuite chez Gauguin que dans des œuvres bien plus tardives, vers 1899-1900, a fait douter certains auteurs de la date inscrite sur le tableau.

213

◆ Nave nave mahana
(Jour délicieux),
1896; huile sur toile;
95 x 130 cm; musée
des Beaux-Arts, Lyon.
Gauguin semble
vouloir se mesurer
avec les grandes
fresques de Puvis de
Chavannes et
communiquer, par
une alternance de
troncs d'arbres et de
figures statiques,
ainsi que par
la couleur, l'essence
même de
l'atmosphère de
Tahiti. Ce sont
les différentes
nuances de rouge
qui restituent ici
la lumière, la chaleur
et le parfum d'une
terre où l'homme
découvre
la dimension naturelle
de son existence.

214

◆ Te vaa (La pirogue), 1896; huile sur toile; 96 x 130,5 cm; musée de l'Ermitage, Saint-Pétersbourg. Comme Te rerioa de 1897, cette scène oscille entre la réalité et le rêve. Malgré l'absence d'analogies précises, la référence au Pauvre pêcheur (1881) de Puvis de Chavannes est patente, car Gauguin a intitulé Pauvre pêcheur une autre toile de 1896 où l'on retrouve le personnage masculin de celle-ci. Peut-être entendait-il ainsi répliquer à l'opposition que Strindberg avait faite entre l'humble poésie du chef-d'œuvre de Puvis et ses propres toiles tahitiennes, solaires et barbares.

◆ Portrait de Vaïté
(Jeanne) Goupil,
1896 ; huile sur toile ;
75 x 65 cm ;
Ordrurpgaardsan-
lingen, Copenhague.
Ce portrait de
commande montre la
fille cadette du riche
notaire Goupil, qui
résidait dans les
environs de Papeete.
Le visage pâle et lisse
de l'enfant trahit
une exécution
laborieuse tandis que
le fond rose et violet
est peint de façon
plus sommaire et joue
un rôle décoratif.
Le tableau semble
avoir plu au notaire,
qui invita souvent
Gauguin dans
sa belle maison
coloniale.

216

◆ Autoportrait, près du Golgotha, *1896; huile sur toile; 76 x 64 cm; Museu de Arte, São Paulo. Gauguin s'assimile ici à un condamné, un martyr, et peut-être un malade, car ses hospitalisations étaient alors fréquentes. Le fond sombre fait allusion au Golgotha, mais comporte aussi de mystérieuses figures, possible illustration de la double nature « sauvage » et « sensitive » de l'artiste. Cette toile n'aurait pas dépareillé dans les cercles symbolistes parisiens, mais Gauguin s'en sentait désormais loin et préféra la garder pour lui.

◆ Autoportrait « à l'ami Daniel » *(page ci-contre), 1896-1897; huile sur toile; 40,5 x 32 cm; musée d'Orsay, Paris. Gauguin rencontra Daniel de Monfreid en 1887, et l'invita à exposer avec lui chez Volpini en 1889. Destinataire de nombre de ses lettres, Monfreid veilla à ses intérêts à Paris et fut l'interlocuteur le plus fidèle de la fin de sa vie. Gauguin lui dédie ici une image à la fois directe et intime.

218

◆ Te rerioa (Le rêve),
1897; huile sur toile;
95 x 132 cm;
Courtauld Institute
Galleries, Londres.
Cette toile se rattache
à une des rares
périodes de
tranquillité de l'artiste
et à son récent
emménagement dans
une vaste maison
flanquée d'un atelier.
Le silence et la
sérénité règnent dans
cet intérieur, aux murs
ornés de personnages
qui semblent vouloir
évoquer l'amour
humain et une sorte
d'âge d'or, mais
restent mystérieux.
Les deux figures
assises ont rappelé à
certains critiques les
Femmes d'Alger de
Delacroix. Il ne s'agit
toutefois pas d'une
scène de genre mais
bien d'un « rêve »,
celui du peintre.

◆ Eiaha ohipa (Ne travaille pas), *1896;* huile sur toile; *65 x 75 cm; musée Pouchkine, Moscou.*

La case est ouverte sur un paysage, comme dans le plus énigmatique Te rerioa, *dont cette toile constitue une anticipation moins puissante. La position des deux personnages reprend celle de deux figures en relief du temple de Borobudur, dont Gauguin possédait une photographie.*

220

◆ Baigneuses, 1897; huile sur toile; 60,4 x 93,4 cm; National Gallery of Art, Washington. Ce tableau rappelle un peu les Baigneuses de Cézanne. Il s'en distingue cependant par la relation que ces figures entretiennent avec leur environnement plus ou moins naturel. Les femmes de Gauguin font en effet partie intégrante de cette nature luxuriante aux couleurs imaginaires et représentent une sorte de « paradis retrouvé ».

◆ Vaïrumati, 1897;
huile sur toile;
73 x 94 cm; musée
d'Orsay, Paris.
Cette transformation
du personnage
hiératique de la mère
des Aréois en une
image flamboyante
et frontale, trahit
une évolution du style
de Gauguin vers
une simplicité
structurelle et une
monumentalité qui
ont leurs racines dans
l'art archaïque.
L'oiseau blanc tenant
un lézard entre ses
pattes représente
l'« inutilité des vaines
paroles ».

222

◆ Nevermore, 1897; huile sur toile; 60,5 x 116 cm; Courtauld Institute Galleries, Londres. Cette œuvre inspirée d'un poème de Poe traduit par Mallarmé, « Le corbeau », texte crucial du symbolisme littéraire, se veut néanmoins antilittéraire dans la mesure où elle est explicitement centrée sur un « simple nu ». Seules les couleurs « volontairement sombres et tristes » suggèrent l'atmosphère angoissée du poème; seule la richesse de la pâte recrée le décor somptueux que Poe y décrit.

224

◆ La récolte *(page
ci-contre), 1897;
huile sur toile;
92,5 x 73,3 cm;
musée de l'Ermitage,
Saint-Pétersbourg.
Comme les autres
tableaux exposés en
novembre-décembre
1898 chez Vollard
avec* D'où venons-
nous? Que sommes-
nous? Où allons-
nous?, *celui-ci se
rattache à la grande
toile par la reprise
d'un de ses motifs
(l'homme aux bras
levés) et a été peint
avec une couleur
dominante, ici
le jaune.*

◆ Rave te hiti ramu
(L'idole), *1898; huile
sur toile; 73 x 91 cm;
musée de l'Ermitage,
Saint-Pétersbourg.*
Oviri *a servi de
modèle à cette idole.
Une légende apposée
par l'artiste sur un
dessin de sa sculpture
céramique, dans son
journal* Le Sourire,
en éclaire le sens, à
travers une allusion
au roman de Balzac
sur le thème de
l'androgyne : « *Et le
Monstre étreignant sa
créature féconde de sa
semence des flancs
généreux pour
engendrer
Seraphitus-
Seraphita* »

226

◆ D'où venons-nous?
Que sommes-nous?
Où allons-nous?,
1897-1898; huile
sur toile;
139,1 x 374,6 cm;
Museum of Fine Arts,
Boston.
« J'ai essayé dans un
décor suggestif de
traduire mon rêve ...
avec toute

la simplicité possible
de métier, labeur
difficile. » (lettre à
Fontainas, mars
1899) « Beaucoup de
personnages disent
que je ne sais pas
dessiner parce que
je fais des formes
spéciales. Quand
donc comprendra-t-
on que l'exécution, le

dessin et la couleur
(le Style) doivent
concorder avec le
poème? Mes nus
sont chastes sans
vêtements. À quoi
donc l'attribuer alors
si ce n'est à certaines
formes et couleurs qui
éloignent de la
réalité. » (lettre à
Morice, juillet 1901)

◆ Étude mise au
carreau pour
« D'où venons-
nous?...
(page ci-contre,
en bas), 1898;
crayon, pastel et
aquarelle sur calque;
20,5 x 37,5 cm;
musée des Arts
africains et océaniens,
Paris.

228

◆ Faa iheihe
(Pastorale tahitienne),
1898; huile sur toile;
54 x 169 cm; Tate
Gallery, Londres.
Le décorativisme
prévaut sur le
symbolisme dans
cette composition
rythmée. Au sein de
l'harmonie générale
jaune-orangé, les
notes vives des
cheveux roux de la
figure centrale et du
personnage de dos
contrastent avec le
noir du cheval et du
chien. Cette œuvre
reprend la structure
de la toile précédente.

◆ Le cheval blanc
(page ci-contre),
1898; huile sur toile;
140 x 91,5 cm;
musée d'Orsay, Paris.

230

◆ Te pape nave nave (L'eau délicieuse), 1898 ; huile sur toile ; 74 x 95,3 cm ; National Gallery of Art, Washington. Ce tableau, exposé à Paris chez Vollard fin 1898, est une réplique fragmentaire de la partie droite de D'où venons-nous ? Que sommes-nous ? Où allons-nous ?, avec quelques modifications significatives : une vibrante dominante rouge, qui rappelle Jour délicieux et, à la place du personnage cueillant des fruits, un nu féminin qui représente peut-être une Ève après le péché.

◆ Te atua (Le dieu) *(à droite), 1898-1899; xylographie de la « suite Vollard »; 22,4 x 22,7 cm; Art Institute, Chicago.* Te atua *peut servir d'introduction à cette série de gravures sur bois n'ayant pas d'ordre précis.*

Elle dérive de la xylographie pour Noa Noa *qui porte le même titre, mais diverses variantes renforcent son syncrétisme religieux, et sa forme glisse du primitivisme vers le style naïf des estampes populaires.*

◆ Bouddha *(à gauche), 1898-1899; xylographie de la « suite Vollard »; 29,5 x 22,2 cm; Art Institute, Chicago. Cette image s'inspire sans doute de la photographie d'un relief en pierre, mais le point de vue*

légèrement en biais constitue, une innovation conforme aux conceptions modernes de Gauguin, qui considérait le bouddhisme comme un élément d'une nouvelle religion universelle.

232

♦ L'enlèvement
d'Europe *(à droite),*
1898-1899 ;
xylographie ;
24 x 23 cm ; Art
Institute, Chicago.

♦ Ève *(à gauche),*
1898-1899 ;
xylographie de la
« suite Vollard » ;
28,7 x 21,5 cm ; Art
Institute, Chicago.

233

◆ Changement de résidence *(en haut),* *1898-1899;* *xylographie de la* *« suite Vollard »;* *16,3 x 30,5 cm; Art* *Institute, Chicago.*

◆ Te arii vahine (La femme du roi) *(en* *bas), 1898-1899;* *xylographie de la* *« suite Vollard »;* *16,4 x 30,4 cm; Art* *Institute, Chicago.*

234

◆ Calvaire breton *(en haut), 1898-1899;* xylographie de la « suite Vollard » ; *16 x 26,3 cm; Art Institute, Chicago.*

◆ Soyez amoureuses, vous serez heureuses *(en bas), 1898-1899;* xylographie de la « suite Vollard » ; *16,2 x 27,5 cm; Art Institute, Chicago.*

◆ Misères humaines
(en haut), 1898-1899;
xylographie de la
« suite Vollard » ;
19,4 x 29,5 cm; Art
Institute, Chicago.
Cette gravure et les
deux précédentes se
différencient des
autres de la même
série par leurs thèmes
tirés d'œuvres
bretonnes et
arlésiennes, signe
d'une volonté de
Gauguin de
rapprocher les deux
grands pôles de son
activité, l'Europe et
l'Océanie.

◆ Femme tahitienne
et l'Esprit du mal (en
bas), 1899-1900;
monotype noir et ocre
sur papier vélin ;
56,1 x 45,3 cm ;
collection particulière.
Le rapprochement
d'une femme issue de
Te arii vahine et d'un
diable à physionomie
humaine, sujet de
sculptures aujourd'hui
perdues, en fait un
des plus efficaces et
énigmatiques des dix
grands monotypes
que Gauguin envoya à
Vollard au printemps
1900.

236

◆ Te tiai na oe ite rata (Tu attends une lettre?), 1899; huile sur toile; 73 x 94 cm; collection privée. Malgré son apparence réaliste, cette scène anecdotique est aussi imaginaire que ses merveilleux accords de couleurs. Le voilier, d'un type plus ancien que celui des bateaux alors en service, provient d'une reproduction par Arosa d'un tableau de Jongkind, et les figures sont tirées de toiles précédentes. On peut toutefois y voir une certaine projection autobiographique : à Tahiti, la vie de Gauguin était très liée aux nouvelles qu'il recevait de France, et il attendait toujours avec impatience l'arrivée de lettres, d'argent, de toiles et de couleurs.

◆ Le cheval sur le
chemin, 1899; huile
sur toile; 94 x 73 cm;
musée Pouchkine,
Moscou.
Les rares paysages
de la fin de la vie de
Gauguin sont ses
œuvres les moins
novatrices. Proches
de ses premières vues
tahitiennes, ils
reprennent le mode de
composition de sa
période arlésienne
et une technique
impressionniste
à petites touches.

238

◆ Te avae no Maria (Le mois de Marie) (page ci-contre), 1899; huile sur toile; 96 x 74,5 cm; musée de l'Ermitage, Saint-Pétersbourg.

◆ Ruperupe (La cueillette des fruits), 1899; huile sur toile; 128 x 190 cm; musée Pouchkine, Moscou. Gauguin a peint diverses toiles pour illustrer ses théories sur la couleur, conçues comme un langage pour traduire des idées. Il a ainsi créé des milieux chromatiques vibrants, structurant ses espaces à l'aide de personnages et d'éléments végétaux de manière à obtenir des compositions d'un calme et d'une monumentalité absolus. Dans Ruperupe, certains ont cru reconnaître la transposition en couleurs et en formes de l'idéal contenu dans l'expression « Luxe, calme et volupté » du poème de Baudelaire « Invitation au voyage ».

240

◆ Le départ, vers 1900; monotype sur papier vergé; 53 x 40 cm; ancienne collection Gustave Fayet, Igny. Les figures dérivent de soldats de la colonne Trajane; celle de gauche revient dans d'autres œuvres graphiques de cette période.

◆ Femmes au bord de la mer (Maternité) (page ci-contre), 1899; huile sur toile; 95,5 x 73,5 cm; musée de l'Ermitage, Saint-Pétersbourg. Là encore, c'est l'atmosphère colorée qui confère à la scène une monumentalité contrastant avec les dimensions de la toile. Gauguin a réalisé de ce tableau - envoyé avec d'autres à Vollard - une version plus petite, avec des couleurs plus vives, qu'il n'a pas datée et a gardée pour lui, preuve supplémentaire de son intérêt pour ce type de recherches.

242

◆ Le grand Bouddha (L'idole), *vers 1896-1899; huile sur toile; 134 x 95 cm; musée Pouchkine, Moscou.* Gauguin donne ici une illustration de sa conception syncrétiste des religions, de leurs concordances et de la place du sacré dans le quotidien. La sombre idole est un hybride du Bouddha, d'une effigie sculptée de Pukaki (un chef néo-zélandais divinisé) que l'artiste avait vue à Auckland en 1895 et de ses représentations du dialogue entre Hina et Fatou.

◆ Deux Tahitiennes (Les seins aux fleurs rouges) *(page ci-contre), 1899; huile sur toile; 94 x 72,2 cm; Metropolitan Museum of Art, New York.* Ce tableau a connu un grand succès dès son exposition à la rétrospective Gauguin de 1906. L'idéalisation des modèles, le classicisme de leurs attitudes et l'absence de toute « sauvagerie » expliquent que ce type d'œuvre ait pu être accepté par un public bourgeois et soit vite devenu populaire.

Natures mortes, xylographies, monotypes et tableaux marquisiens

« [...] Je ne suis pas un peintre d'après-nature - aujourd'hui moins qu'avant. Tout chez moi se passe en ma folle imagination. Et quand je suis fatigué de faire des figures (ma prédilection) je commence une nature morte que je termine d'ailleurs sans modèle. » C'est ainsi que Gauguin répond, en janvier 1900, à la requête du marchand Vollard de lui fournir des tableaux de fleurs, confirmant son peu d'intérêt du moment pour un genre qui pose, plus que d'autres, des problèmes d'espace et de couleur liés à l'objet, et donc à la sphère de la réalité. *Théière et fruits*, une des deux natures mortes du lot de tableaux qu'il avait expédié en France en février 1897, prolongeait la tendance, sensible dès son premier séjour en Polynésie, à traduire au moyen d'objets, d'un décor et de couleurs tropicales un modèle de nature morte essentiellement cézannien. Les mangues, la théière, le vase de forme exotique, sont ainsi disposés sur un plan en partie recouvert d'un torchon, contre un fond décoratif de papier peint à fleurs stylisées. Les couleurs de Cézanne - ses bleus, ses bruns, ses verts - y acquièrent la profondeur et la splendeur de celles des tableaux tahitiens de Gauguin, et le personnage de profil à contre-jour, dans l'ouverture du fond sur l'extérieur, renforce l'exotisme de la mise en scène.

Le retour de l'artiste sur le thème de la nature morte, à partir de 1899, provient davantage de motivations intimes que de la demande du marché. Les fleurs issues des graines qu'il avait prié Monfreid de lui envoyer, pour orner son jardin de plantations qui lui rappelleraient la France, sont en effet les sujets de *Bouquet de fleurs* et *Nature morte aux chats*. Vient s'y glisser un autre rappel affectif, celui des tableaux de fleurs de Delacroix : Gauguin a réalisé de l'un d'eux, qui avait appartenu à la collection Arosa et dont il conservait une photographie, une copie à l'aquarelle avec des couleurs de son invention, qu'il a ensuite collée dans son manuscrit de *Noa Noa*.

Ses tournesols de 1901, qui ont fait l'objet de quatre toiles, établissent quant à eux des rapports complexes entre le passé artistique du peintre et l'univers dans lequel il vit désormais. Ils constituent à la fois un hommage et un défi aux tournesols de Van Gogh, et tissent un lien, en forme de dialogue, entre art occidental et monde polynésien. *Fleurs de tournesol dans un fauteuil*, peint en deux versions analogues, rappelle l'organisation non conventionnelle, à la Degas, d'une de ses toiles de 1881, *Pour faire un bouquet*, où une corbeille de fleurs fraîchement coupées figurait au premier plan sur un siège. Les tournesols sont ici posés comme négligemment, en rupture avec le principe traditionnel de la nature morte qui veut que les objets soient arrangés avec soin en fonction du spectateur. Ils sont dans la pénombre, un peu fanés, et derrière eux se dresse une étrange fleur-œil inspirée des lithographies fantastiques de Redon, présence récurrente dans les tournesols de Gauguin, symbole du regard intérieur de l'artiste et aussi intrusion déviante dans une forme d'art pourtant éminemment liée au réel. La « folle imagination » de l'artiste intervient ainsi dans un genre objectif par excellence, et l'ambiguïté entre réalité et fiction est encore renforcée, dans la version de l'Ermitage, par la grosse tête de Tahitienne qui figure en haut à droite et dont on ignore si elle est vraie, comme les fleurs, ou fait partie d'un tableau. Celle-ci constitue en tout cas un des éléments de la composition et instaure un lien entre deux univers figuratifs et affectifs différents. Dans les autres toiles de cette série, un lien analogue est créé par d'autres moyens : les fruits et le vase à décor anthropomorphe dans *Fleurs de tournesol et mangues*, ou, dans les *Tournesols à « L'espérance »*, le rapprochement de *L'espérance* de Puvis de Chavannes et d'une œuvre difficilement identifiable de Degas avec un vase et une coupe au décor exotique.

D'autres natures mortes de la période 1901-1902 renvoient à des modèles plus cézanniens, comme la solaire *Nature morte aux pamplemousses* ou celle au couteau, à l'organisation similaire. Dans ces toiles, ce sont les objets (comme dans *Nature morte aux oiseaux exotiques*), les fruits, le décor du fond, la couleur, qui suggèrent l'exotisme, l'associant souvent à un symbolisme prémonitoire d'une fin prochaine : la malle de voyage qui sert parfois de support aux objets, la gourde tirée d'une courge, des oiseaux morts, des idoles.

Pendant les dernières années de sa vie, Gauguin a peint de façon très irrégulière. Ses graves problèmes de santé en sont largement responsables, mais ne suffisent pas à expliquer l'importance de la place prise par les arts graphiques dans sa production vers la fin des années 1890. S'il reprend, avec succès, des techniques expérimentées lors de son dernier séjour en France, c'est aussi en raison du développement de ses activités littéraires et de l'élaboration de manuscrits qu'il conçoit comme des textes illustrés. Se rattachent ainsi à la première mouture de *L'esprit moderne et le catholicisme* une série de quatorze xylographies de 1898-1899 gravées sur des bois irréguliers, aux surfaces rugueuses. D'un caractère naïf et archaïsant, bien dans l'esprit des images populaires et des estampes japonaises ou chinoises alors à la mode chez les bibliophiles du cercle symboliste, elles s'inspirent notamment de sa série de 1893-1894 réalisée pour *Noa Noa*. Leurs motifs, tirés de divers tableaux mais transformés par le matériau et la technique, sont allègrement combinés dans une perspective syncrétiste. Cette série n'a pas d'ordre flagrant. Ses images peuvent être librement regroupées, même si certaines semblent s'associer pour former des paires ou des sortes de frises. *Te atua (Le dieu)* paraît néanmoins conçu comme la première et transmet un message explicitement syncrétiste : une Vierge à l'Enfant adorée par *Oviri* et divers autres motifs symboliques y cohabitent, en effet, sous la grande tête du dieu Taaroa. Une des gravures suivantes est consacrée au Bouddha, une (inspirée de *Paroles du diable*) à Ève, une au mythe de l'enlèvement d'Europe, tandis que certaines condensent des motifs bretons et arlésiens, et que d'autres situent des scènes de vie quotidienne dans une sorte de paradis terrestre. Les dernières, enfin, renvoient à des aspects plus sombres et mystérieux de l'univers figuratif de l'artiste, comme cette *Planche à la tête de diable cornu* qui reprend l'imagerie occidentale du mal, ou celle qui s'intitule *Soyez amoureuses, vous serez heureuses*, intérieur d'une cabane éclairée par la lumière de la religion.

Le plaisir d'expérimenter des techniques qui associent travail manuel, hasard et volonté délibérée va déboucher en 1899-1900, période où Gauguin ne peint pas du tout, sur de grands monotypes réalisés suivant le procédé du dessin-impression, déjà employé avec d'autres matériaux. Il s'agit cette fois de dessins qui s'imprimaient au verso de la feuille comportant le dessin matrice, une formule dont l'artiste se dit enthousiaste et convaincu - comme il l'écrit à Monfreid en janvier 1900 - que, ses résultats alliant la beauté à l'économie, elle allait révolutionner l'imprimerie. Sa méthode est décrite dans une lettre à Gustave Fayet, un de ses principaux collectionneurs : il encrait entièrement une feuille, puis la recouvrait d'une autre sur laquelle il dessinait au crayon. Au contact de la feuille encrée, le dessin se trouvait reproduit au verso de celle sur laquelle il était tracé, et c'était cette empreinte qui constituait l'œuvre définitive.

Ces grands monotypes aux surfaces irrégulières, tachetés et ombrés, semblables à d'antiques vestiges ou à des calques d'œuvres disparues, tiennent à la fois de la peinture murale et du frottis. Délibérément maladroits et sales, ils possèdent ce caractère primitif que Gauguin recherchait dans ses dessins, mais amplifié par la marge de hasard inhérente au procédé. Les figures, simplifiées, presque ébauchées, ont une sorte de monumentalité dans leurs gestes, inspirés de sources antiques ou de tableaux de l'artiste, comme les *Deux Tahitiennes cueillant des fruits* ou les *Tahitiennes repassant*. Des taches et des zones sombres instillent un certain mystère dans *La Tahitienne et l'esprit du mal*, reprise partielle de *La femme du roi*, ainsi que dans *Le cauchemar*, représentation d'une Ève violée avec derrière elle un serpent et un *tupapau* à cheval. Plus fortes et plus essentielles que celles d'autres empreintes que Gauguin réalisa à la gouache vers 1902, les puissantes figures de ces monotypes, d'une beauté archaïque et lointaine, influenceront le jeune Picasso lors de leur exposition chez Vollard en 1903.

Le besoin de motifs nouveaux pour stimuler son inspiration - et peut-être les acheteurs potentiels - pousse enfin Gauguin à se dépayser encore davantage en se rendant à Hiva Oa, dans l'archipel des Marquises. Ses œuvres de cette dernière période trahissent toutefois un détachement fondamental de la sphère de la réalité objective, au profit de la recherche d'une dimension évocatrice du rêve et de significations universelles. Un de ses plus beaux tableaux de 1902, *Femme à l'éventail*, transforme ainsi son modèle en une image lointaine plongée dans une atmosphère colorée. Cette superbe créature rousse originaire d'une autre île, aussi représentée dans *Contes barbares* de la même année, se nommait Tohotaua et était la femme d'un ami marquisien de l'artiste. Gauguin l'a peinte à partir d'une photographie qu'il a prise dans son atelier et dont il n'a conservé que la pose, l'éventail et une vague ressemblance des traits. Il a en revanche modifié la robe, l'expression du visage et le fond, initialement tapissé de diverses reproductions d'œuvres d'art. Assise dans un fauteuil de style exotique qui rappelle celui d'Annah la Javanaise, la jeune femme tient un éventail de plumes, signe de noblesse, et porte à la place de son paréo d'origine un vêtement blanc qui laisse sa poitrine découverte. Il ne s'agit toutefois nullement d'une séductrice : au lieu de regarder le spectateur comme sur la photographie, elle arbore une expression distante, voilée de nostalgie. C'est la couleur qui anime l'image - le blanc du tissu, l'orange rosé du buste et du visage, le rouge des cheveux, le noisette des pupilles, l'ocre tirant sur le vert du fond - et la fleur bleue du coin gauche est le seul indice, dans cet espace coloré, de l'humeur rêveuse du personnage.

La contradiction entre le besoin proclamé par Gauguin de trouver de nouveaux modèles et son dernier style - au dessin essentiel, sommaire, parfois dur, associé à des couleurs arbitraires - disparaît si l'on envisage son rapport aux modèles comme un simple aiguillon pour son imagination. Le Marquisien représenté dans le tableau autrefois appelé *Le sorcier d'Hiva Oa* ou *L'enchanteur* a longtemps été identifié comme l'époux de Tohotaua, Haapuani, un ancien prêtre indigène devenu maître des fêtes et cérémonies de l'île après l'arrivée des missionnaires. Mais, en réalité, l'identité de ce personnage à cape rouge observé avec curiosité par deux femmes reste douteuse, et il pourrait aussi s'agir d'un de ces hommes aux traits efféminés, nommés *mahu*, qu'on rencontrait fréquemment dans la société polynésienne. Le même modèle a sans doute servi pour le personnage principal de *Baigneurs*, une composition qui fut peut-être influencée par l'une ou l'autre version des *Baigneurs au repos* de Cézanne. La scène est chargée d'intentions symboliques plus ou moins voilées : les figures à peine ébauchées, campées dans un paysage sommaire aux couleurs vives, rose fuchsia, rouge orangé, bleu, vert, suggèrent une opposition générale entre l'état d'innocence originelle de l'enfant, nu, et les notions conventionnelles de pudeur chez l'adulte qui se couvre. Le sens n'est certes pas explicite, mais cette interprétation est justifiée par les préoccupations qui étaient alors celles de Gauguin, parallèlement à la peinture ou au détriment de sa pratique artistique : les questions de morale qu'il aborde dans *L'Esprit moderne et le catholicisme*, et ses activités de journaliste pamphlétaire.

La sœur de charité (1902) propose autour du thème de la diffusion du catholicisme en Polynésie le même point de vue syncrétiste et universaliste que *Nativité*. Ce tableau, composé suivant la méthode de la transposition et de la réplique avec variantes, montre la rencontre entre deux univers qui semblent s'intégrer et cohabiter de façon harmonieuse. Le visage de la sœur s'inspire de croquis de 1891 de la directrice de l'école de Mataiea, et sa position est empruntée à une photographie figurant dans un livre intitulé *Les Missions catholiques françaises au XIXe siècle*. Les indigènes, dont deux portent des robes « de la mission » et les autres des paréos, proviennent des *Baigneurs* et des *Cavaliers sur la plage* de la même année.

La présence récurrente de chevaux et de cavaliers dans les derniers tableaux que Gauguin a peints à Atuona peut avoir une raison objective, car les chevaux étaient plus répandus aux Marquises qu'à Tahiti. Il pouvait donc en observer et en peindre aisément. Ces scènes n'ont toutefois pas grand-chose de réaliste. Il s'agit plutôt de transpositions d'éléments réels dans une dimension intellectuelle et symbolique. *Cavaliers (Le gué)* a ainsi été interprété comme une allusion au voyage vers l'outre-tombe : l'homme sur une monture noire flanqué d'un chien qui lui court entre les jambes a son origine dans la gravure de Dürer *Le chevalier, la Mort et le diable*, tandis que le cavalier à capuchon du cheval blanc, couleur associée au deuil, est une transformation en démon polynésien (*tupapau*) de l'image occidentale de la mort à cheval, qui conduit le jeune homme dans le royaume de l'au-delà.

Les *Cavaliers sur la plage*, dont l'artiste a peint deux versions en 1902, comptent parmi ses tableaux les plus simples, et pourtant les plus intensément évocateurs et symboliques. La scène réelle observée se mue, dans la composition finale, en hommage aux chevaux peints par Degas, que Gauguin a toujours admiré. Le tableau de Degas *Chevaux de courses à Longchamp* (1873-1876) et divers pastels du même artiste ont ainsi suggéré le rapport entre les figures et l'espace, ainsi que certains personnages ou groupes, comme les trois cavaliers de dos de la version du Folkwang Museum d'Essen. La plage d'Hiva Oa est transfigurée en un lieu idéal, où la mer bleue et les crêtes blanches des vagues, quelques troncs dénudés et l'étendue de sable - rose corail dans une des versions, ocre dans l'autre - sont très sobrement indiqués. Comme dans *Femme à l'éventail*, la couleur communique un sentiment d'éloignement, la nostalgie de quelque chose qui a été perdu, ou est sur le point de disparaître. Dans la version la plus riche en personnages, la figure debout crée le sentiment d'un espace en profondeur, mais il ne s'agit là que d'un réalisme illusoire : les personnages se répètent, et les deux cavaliers encapuchonnés semblables à des *tupapau*, respectivement vêtus de jaune et de rouge sur leurs chevaux blancs, coupent la route en s'avançant vers un lieu indéterminé, symboles d'un voyage vers l'inconnu, prémonitions d'une fin prochaine.

Contes barbares (1902) est un tableau mystérieux. Gauguin lui a attribué un titre français pour réduire au silence les critiques qui lui reprochaient ses titres maoris, mais l'œuvre n'en devient pas plus limpide pour autant. Rien ne vient nous apprendre de quels contes il s'agit, ni qui est le narrateur. Il semble plutôt qu'on assiste à une confrontation entre des mondes différents et lointains, ou plus exactement à leur juxtaposition, leur coexistence. Près du bord de gauche, la figure un peu diabolique de Meyer de Haan représente l'homme occidental obsédé par sa soif de connaissances, comme l'étaient les deux philosophes ratiocinants de *D'où venons-nous ? Que sommes-nous ? Où allons-nous ?* La femme du centre, dans la posture bouddhiste dite *Virasana*, détient la sagesse de l'Orient et, auprès d'elle, la jeune femme rousse couronnée de fleurs incarne la calme beauté et l'exubérance de la nature exotique, avec sa végétation luxuriante. Les formes semblables à des nuages, les couleurs graves et intenses suggèrent le parfum des fleurs : *Noa Noa*, « odorant ».

Un des derniers tableaux de l'artiste, *L'appel* (1902) associe les dimensions imposantes de *Contes barbares* aux couleurs vives des *Baigneurs*. D'autres, comme *L'invocation* ou *Femmes et cheval blanc*, de 1903, reprennent d'anciennes figures qui se répètent désormais invariablement dans divers paysages. *Village breton sous la neige*, sans doute peint de mémoire, et dont la datation reste controversée, est le tableau que l'on trouva sur le chevalet de l'artiste après sa mort.

246

◆ Théière et fruits, 1896; huile sur toile; 48 x 66 cm; Museum of Art, Philadelphie. Dans les premiers mois qui suivirent son retour à Tahiti, Gauguin a peint assez peu de natures mortes. Dans celle-ci, expédiée à Paris en février 1897, il allie ostensiblement un hommage à Cézanne, sur le plan de la technique et de la composition, à l'affirmation d'une identité exotique par le biais du décor et des objets. Prenant pour fond un papier peint à fleurs d'un bel effet décoratif, il ouvre aussi une fenêtre sur le paysage tahitien et ses habitants.

◆ Nature morte aux chats, *1899; huile sur toile; 92 x 71 cm; Ny Carlsberg Glyptotek, Copenhague.*
Les iris, les dahlias, les glaïeuls arrivés de France pour égayer, écrit-il à Monfreid, sa vie « si triste avec cette maladie qui annule toutes mes forces », encouragent Gauguin à produire une magnifique série de tableaux de fleurs, rappelant ceux de Delacroix par la richesse et l'éclat de leurs couleurs. Il ne renonce pas pour autant à introduire dans ses natures mortes des objets insolites, comme ces deux chats stylisés.

248

◆ Bouquet de fleurs,
vers 1899-1900;
huile sur toile;
95 x 62 cm;
collection particulière.
« Quand je vais
pouvoir repeindre,
si je n'ai plus

d'imagination je ferai
quelques études de
fleurs », écrit Gauguin
à son ami Monfreid
en avril 1899. Et, de
fait, les fleurs issues
des graines et des
tubercules que

Monfreid lui avait
envoyés à sa requête
sont le sujet de cette
toile, très proche de
la Nature morte aux
chats et
vraisemblablement
peinte vers la même

époque. Le vase, sans
doute une œuvre de
Gauguin, pourrait être
le même dans les
deux cas, vu sous
un angle différent.

◆ Fleurs de tournesol et mangues, *1901; huile sur toile; 93 x 73 cm; collection particulière.* De toutes les natures mortes de Gauguin comportant des tournesols, c'est celle qui ressemble le plus à celles de Van Gogh. Cette fois, la fleur-œil, dotée d'une tige, fait partie intégrante du bouquet. La présence du vase sculpté pose problème. L'artiste voulait probablement opposer, à travers cet objet exotique, le monde tahitien à l'univers occidental des tournesols, mais si l'aspect primitif des figures qui forment les anses renvoie bien à la sculpture tahitienne, on ne connaît aucun exemple de vases analogues; il pourrait donc s'agir d'une création de Gauguin.

250

◆ Fleurs de tournesol sur un fauteuil (1), 1901 ; huile sur toile ; 73 x 91 cm ; musée de l'Ermitage, Saint-Pétersbourg. C'est Vollard qui poussa Gauguin à peindre des fleurs, plus faciles à vendre. Mais l'artiste n'était guère convaincu : il se sentait surtout peintre de figures, donnait la priorité à sa « folle imagination » et considérait la nature morte comme un genre de repli, à traiter en tout cas en prenant ses distances vis-à-vis du modèle. Chargés de souvenirs d'Arles et de son amitié avec Vincent, les tournesols issus des graines qu'il a reçues de France auront cependant le pouvoir de vaincre ses réticences. Dans ses deux versions de ce motif, la réalité des fleurs coexiste avec l'artificialité de leur agencement et la présence inquiétante de la fleur-œil.

◆Fleurs de tournesol sur un fauteuil (2), 1901; huile sur toile; 66 x 75,5 cm; Fondation Bührle, Zurich.

Cette version se différencie de celle de l'Ermitage par un léger déplacement du point de vue, plus rapproché et décalé vers la droite, un arrangement plus compact des fleurs et une présence plus discrète de la fleur-œil. Le contenu du cadre de droite change aussi : des baigneuses à la place de l'énigmatique tête de Tahitienne.

252

◆ Nature morte aux pamplemousses, *vers 1901 ; huile sur toile ; 66 x 76 cm ; collection particulière. Des natures mortes de cette dernière période, où la malle de voyage sert souvent de support aux objets, celle-ci est la plus proche du travail de Cézanne : même facture des fruits, même façon de* rendre, par des nuances de couleurs, le blanc de la nappe, même fond de papier peint et, surtout, même organisation claire et nette, et même équilibre « classique » de la composition. On sent toutefois aussi une volonté de s'opposer au modèle cézannien par la couleur solaire et l'exotisme du sujet.

*1902; huile sur toile;
62 x 76 cm; musée
Pouchkine, Moscou.
Elle a été peinte à
Atuona, comme l'autre*

253

◆ Nature morte aux
oiseaux exotiques,
*1902; huile sur toile;
62 x 76 cm; musée
Pouchkine, Moscou.
Elle a été peinte à
Atuona, comme l'autre*
*version de ce motif,
sans la gourde mais
avec la même
sculpture, une
variante de l'Idole
à la perle.*

254

◆ Cavalier, 1901-
1902 ; monotype noir
et gris sur papier
vélin ; 50 x 44 cm ;

musée des Arts
africains et océaniens,
Paris.

◆ Cavaliers (La fuite ou Le gué), 1901 ; huile sur toile ; 73 x 92 cm ; musée Pouchkine, Moscou. L'identification des sources figuratives de cette scène a contribué à clarifier son symbolisme. Gauguin a ainsi transposé, pour l'homme sur le cheval noir, un personnage de la frise du Parthénon, mais il a surtout songé à la gravure de Dürer, Le chevalier, la Mort et le diable. Ceci, joint à la présence d'un cavalier encapuchonné comme un tupapau, donne le sens d'un voyage vers l'outre-tombe : l'esprit des morts conduit le jeune homme sur l'autre rive, vers l'au-delà.

256

◆ Cavaliers sur la plage (1), *1902; huile sur toile; 66 x 76 cm; Folkwang Museum, Essen.*
Pour ses chevaux et ses cavaliers, nombreux pendant sa période marquisienne,

Gauguin a toujours recouru à des transpositions d'œuvres occidentales. Dans ses deux versions de Cavaliers sur la plage *peintes à Atuona en 1902, il a ainsi*

interprété librement, mais de façon aisément reconnaissable, les personnages et la composition des Chevaux de course à Longchamp *de Degas : « la*

civilisation polynésienne est représentée d'après des modèles occidentaux, probablement pour créer un langage artistique universel et mythique » (Brettell).

◆ Cavaliers sur la   sur toile; 73 x 92 cm;
plage (2), *1902*; *huile*   *collection particulière.*

258

◆ La sœur de charité, 1902; huile sur toile; 65 x 76 cm; Marion Koogler McNay Art Museum, San Antonio.
Bien caractérisée, la sœur semble inspirée d'un personnage réel (peut-être la directrice de l'école de Mataiea) et incarne la présence de la civilisation occidentale en Polynésie. Le décor reste indéfini, et les indigènes sont des figures récurrentes dans sa production de l'époque.

◆ Baigneurs (page ci-contre), 1902; huile sur toile; 92 x 73 cm; collection particulière, Lausanne.
Le décor est emprunté au Paysage aux deux chèvres - un des tableaux exposés chez Vollard avec D'où venons-nous? Qui sommes-nous? Où allons-nous? - et le personnage central qui se ceint les hanches est une transposition de divers baigneurs de Cézanne.

260

◆ Père paillard (à
gauche), 1902; bois;
h. 65 cm; National
Gallery of Art,
Washington.
Cette sculpture, une
des rares qui nous
soient parvenues
parmi celles que
Gauguin a réalisées
dans son atelier
d'Atuona, est une
caricature de l'évêque
local, qui s'en était
pris aux mœurs de

l'artiste, trop libres
à son goût. En lui
donnant l'aspect
d'un diable et en
le flanquant d'une
représentation de sa
gouvernante dévêtue,
Gauguin avait voulu
dénoncer sa conduite,
d'une moralité
douteuse, et
l'hypocrisie de l'Église
en matière de
sexualité.

◆ Nativité (à droite),
1902; monotype noir
sur papier vélin collé
sur les plats de la
couverture du
manuscrit L'Esprit
moderne et le
catholicisme;
24,5 x 16,5 cm et
28,2 x 20 cm; Art
Museum, Saint Louis.
Ces illustrations
constituent des
reprises de divers
monotypes et d'un

petit tableau
également intitulé
Nativité. L'épisode de
la naissance du Christ
est relégué au dos du
manuscrit, tandis que
sur le devant figure la
partie profane de la
scène, avec des
femmes nues et un
porteur de fruits.

◆ Panneaux de la « Maison du Jouir », 1902 ; bois de séquoia sculpté et peint ; musée d'Orsay, Paris.
Ces panneaux encadraient la porte d'accès aux parties privées de la case de l'artiste à Atuona : la chambre et l'atelier. L'appellation « Maison du Jouir » était sculptée sur le linteau, et les titres des deux bas-reliefs symboliques de 1889-1890 étaient gravés sur les panneaux du bas (dont l'un est au musée Gauguin de Papeari). Les motifs - nus, têtes, formes animales et végétales - sont tirés d'œuvres de la seconde période tahitienne de l'artiste et traités dans un style d'un primitivisme naïf.

262

◆ Les amants (La fuite), *1902; huile sur toile; 73 x 92,5 cm; Národní Galerie, Prague.*
La crainte et la culpabilité qu'expriment ici les visages et l'attitude des personnages sont atténuées dans un monotype sur le même thème, que

la force et la rapidité du trait rendent plus efficace et plus dramatique.

◆ Marquisien à la cape rouge (Le sorcier de Hiva Ōa) *(page ci-contre), 1902; huile sur toile; 92 x 73 cm; musée d'Art moderne, Liège.*
L'identification du

personnage avec Haapuani, un ami marquisien de l'artiste, et la tendance à rapporter le contenu de cette scène à des pratiques rituelles de l'ancienne culture des Marquises, ont aujourd'hui cédé le pas à des interprétations moins fantaisistes :

il s'agissait simplement d'un de ces hommes efféminés aux cheveux longs qu'on rencontrait dans ces îles, et qu'on retrouve aussi dans Les amants et les Baigneurs.

264

◆ Femme à l'éventail,
1902; huile sur toile;
92 x 73 cm; Folkwang
Museum, Essen.
« La couleur étant
en elle-même
énigmatique dans les
sensations qu'elle
nous donne, on ne
peut logiquement

l'employer
qu'énigmatiquement
[...] pour donner les
sensations musicales
qui découlent d'elle-
même, de sa propre
nature [...]. Au moyen
d'harmonies savantes
on crée le symbole.
La couleur qui est

vibration comme la
musique atteint ce
qu'il y a de plus
général et partant de
plus vague dans la
nature : sa force
intérieure » (Diverses
choses).

◆ Contes barbares
(page ci-contre),
1902; huile sur toile;
131,5 x 90,5 cm;
Folkwang Museum,
Essen.

266

◆ L'appel *(page ci-contre), 1902; huile sur toile;*
130 x 90 cm;
Museum of Art, Cleveland.
Les figures debout sont tirées de la frise du Parthénon.

◆ Femmes et cheval blanc, *1903; huile sur toile; 72,5 x 91,5 cm; Museum of Fine Arts, Boston.*
Gauguin peignit peu pendant les mois précédant sa mort, et ce tableau aux couleurs profondes
et intenses, dont les petites touches renvoient aux lointains paysages de la Martinique, fut peut-être sa dernière œuvre. Les trois figures proviennent de toiles précédentes; la croix du haut est
celle de la mission d'Atuona. Dans la culture marquisienne, le blanc était associé au pouvoir, mais aussi à la mort.

BIBLIOGRAPHIE

ÉCRITS DE GAUGUIN

À ma fille Aline ce cahier est dédié. Fac-similé du cahier original de Paul Gauguin, accompagné de *Le cahier pour Aline, histoire et signification,* édition établie par Victor MERLHÈS, Bordeaux, 1992.

Ancien culte mahorie (1892-1893), fac-similé suivi d'un commentaire de René HUYGHE, Paris 1951.

Cahier pour Aline (1893), fac-similé avec une présentation de Suzanne DAMIRON, Paris 1963.

Noa Noa (1893-1894), texte établi et annoté par Pierre PETIT, Paris 1988.

De Bretagne en Polynésie, Paul Gauguin, Pages inédites, édition établie par Victor MERLHÈS, Paris 1995.

Diverses choses (1896-1897), manuscrit, Cabinet des Dessins, musée du Louvre.

L'Esprit moderne et le catholicisme (1897-1898), manuscrit, Université de Saint Louis.

Racontars de rapin (1902), Paris 1951.

Avant et après (1903), Paris 1923 ; rééd. Tahiti - Paris 1989.

GAUGUIN Paul et MORICE Charles, *Noa Noa*, Paris 1924.

Oviri. Écrits d'un sauvage, textes choisis par Daniel GUÉRIN, Paris 1974.

Le Sourire de Paul Gauguin, recueil des articles du *Sourire*, introduction et notes de Louis-Joseph BOUGE, Paris 1952.

Lettres à Daniel de Monfreid, présentées par Victor SEGALEN, Paris 1919 et 1930 ; rééd. avec annotations d'Annie JOLY-SEGALEN, Paris 1950.

Lettres à André Fontainas, introduction de A. Fontainas, Paris 1921.

Letters to Ambroise Vollard and André Fontainas, San Francisco, 1943.

Lettres à sa femme et à ses amis, réunies par Maurice MALINGUE, Paris 1946 ; rééd. Paris 1992.

Lettres à Émile Bernard (1888-1891), avec un texte d'Émile BERNARD, Genève 1954.

45 lettres à Vincent, Théo et Jo Van Gogh, édition établie par Douglas COOPER, Paris 1983.

Correspondance de Paul Gauguin, édition établie par Victor MERLHÉS, tome 1 (1873-1888), Paris 1985.

ÉCRITS SUR GAUGUIN

Actes du colloque Gauguin au Musée d'Orsay, 11-13 janvier 1989, École du Louvre - Musée d'Orsay, La Documentation Française, Paris 1991.

ALEXANDRE Arsène, *Paul Gauguin, sa vie et le sens de son œuvre*, Paris 1930.

AMISHAI-MAISELS Ziva, « Gauguin's early Tahitian Idols », *The Art Bulletin*, LX, 1978.

AMISHAI-MAISELS Ziva, *Gauguin's religious themes*, New York et Londres 1985.

ANDERSEN W.A., *Gauguin's Paradise Lost*, New York 1971.

AURIER Albert, *Le Symbolisme en peinture. Paul Gauguin*, Mercure de France, mars 1891.

BARSKAÏA Anna, KANTOR Assia et BESSONOVA Marina, *Paul Gauguin, les affinités mystérieuses*, Bournemouth - Saint-Pétersbourg 1995.

BERNARD Émile, *Souvenirs inédits sur l'artiste-peintre Paul Gauguin et ses compagnons lors de leur séjour à Pont-Aven et au Pouldu*, Lorient 1939.

BODELSEN Merete, *Gauguin's Ceramics*, Londres 1964.

CACHIN Françoise, *Gauguin*, Paris 1968, rééd. Paris 1988.

CACHIN Françoise, *Gauguin. « Ce malgré moi de sauvage »*, Paris 1989.

CHASSÉ Charles, *Gauguin et le groupe de Pont-Aven*, Paris 1921.

CHASSÉ Charles, *Gauguin et son temps*, Paris 1955.

CHASSÉ Charles, *Gauguin sans légendes*, Paris 1965.

COGNIAT Raymond, *La Vie ardente de Paul Gauguin*, Paris 1936.

DAMIGELLA Anna Maria, *Gauguin*, Florence 1989.

DANIELSSON Bengt, *Gauguin à Tahiti et aux îles Marquises*, Papeete 1975 ; rééd. Paris 1988.

DE ROTONCHAMP Jean, *Paul Gauguin*, Weimar - Paris 1906 ; rééd. Paris 1925.

DELOUCHE Denise, *Gauguin et la Bretagne*, Rennes 1996.

DENIS Maurice, *Théories 1890-1910*, Paris 1912 ; rééd. Paris 1964.

DORIVAL Bernard, *Paul Gauguin, Carnet de Tahiti*, Paris 1954.

FIELD Richard S., *Paul Gauguin*, 1986.

FIELD Richard S., *Paul Gauguin. Monotypes*, 1973.

GAUGUIN Pola, *Paul Gauguin, mon père*, Paris 1938.

Gauguin, catalogue de l'exposition aux Galeries nationales du Grand Palais, Paris 1989.

Gauguin, sa vie, son œuvre, numéro spécial de la *Gazette des Beaux-Arts,* sous la direction de G. WILDENSTEIN, janvier-avril 1958.

GRAY Christopher, *Sculpture and Ceramics of Paul Gauguin*, Baltimore 1963 ; réimp. New York 1980.

GUÉRIN Marcel, *L'Œuvre gravée de Gauguin*, 2 vol., Paris 1927.

HOOG Michel, *Gauguin, vie et œuvre*, Fribourg 1987.

HUYGHE René, *Le Carnet de Paul Gauguin (1888-1890)*, fac-similé, Paris 1952.

JAWORSKA Wladyslawa, *Gauguin et l'école de Pont-Aven*, Neuchâtel 1971.

JIRAT WASIUTYNSKI V., *Paul Gauguin in the Context of Symbolism*, New York 1978.

LANDY B., « The Meaning of Gauguin's Oviri Ceramic », *The Burlington Magazine*, 1967.

Le Chemin de Gauguin : genèse et rayonnement, Saint-Germain-en-Laye, Musée départemental du Prieuré, 1985.

LE PICHON Yann, *Sur les traces de Gauguin*, Paris 1986.

LEYMARIE Jean, *Gauguin. Aquarelles, pastels, dessins*, Genève 1988.

MALINGUE Maurice, *Gauguin, le peintre et son œuvre*, Paris 1948.

Manet, Gauguin, Rodin... Chefs-d'œuvres de la Ny Carlsberg Glyptotek de Copenhague, Musée d'Orsay, Paris 1995-1996.

MERLHÈS Victor, *Paul Gauguin et Vincent Van Gogh. 1887-1888. Lettres retrouvées Sources ignorées,* Paris, 1990.

MORICE Charles, *Paul Gauguin*, Paris 1920.

Paul Gauguin e l'avangardia russa, Palazzo dei Diamanti, Ferrare 1995.

PERRUCHOT Henri, *La Vie de Gauguin*, Paris 1961.

REWALD John, *Histoire de l'impressionnisme*, Paris 1955 ; nouvelle éd. revue et augmentée, Paris 1986.

REWALD John, *Le Post-impressionnisme, de Van Gogh à Gauguin*, nouvelle éd. revue et augmentée, Paris 1961; rééd. Pluriel 1988.

REWALD John, *Paul Gauguin, carnet de croquis (1884-1888)*, New York 1963.

REY Robert, « Menus propos » in *Onze Menus de Paul Gauguin*, Genève 1950.

SUGANA G.M., *Tout l'œuvre peint de Gauguin*, Milan 1972 ; éd. française, Paris 1981.

VARNEDOE Kirk, « *Gauguin* » in *Primitivism and Twentieth Century Art*, sous la direction de W. RUBIN, Museum of Modern Art, New York 1984-1985.

WELSH Robert, « Gauguin et l'auberge de Marie Henry au Pouldu », *Revue de l'Art*, n° 86, 1989.

WILDENSTEIN Georges et COGNIAT Raymond, « Paul Gauguin », vol. 1, *Catalogue des peintures*, Paris 1964.

INDEX

Le présent index concerne les œuvres de Gauguin,
ainsi que les personnages et les lieux cités dans l'ouvrage.
Les chiffres en romain renvoient au texte ; ceux en italique aux légendes ;
ceux en gras aux planches en couleurs.

270

RÉFÉRENCES DES TEXTES

ALBIN MICHEL : John Rewald, *Le post-impressionnisme,* 1961.
BIBLIOTHÈQUE D'ART ET D'ARCHÉOLOGIE DE l'UNIVERSITÉ DE PARIS : Paul Gauguin, *Cahier pour Aline,* édition établie par Suzanne Damiron et Raymond Lacour, 1963.
BIBLIOTHÈQUE DES ARTS : Douglas Cooper, *Paul Gauguin : 45 lettres à Vincent, Théo et Jo Van Gogh,* collection Rijksmiseum, 1983.
CHARPENTIER : J-K Huysmans, *L'art moderne,* 1883. Réimpression Gregg Int., 1969.
DROZ : Fénéon, *Œuvres plus que complètes,* tome 1, Genève-Paris, 1970.
EDITIONS 10/18 : J-K Huysmans, *L'art moderne,* 1975.
FALAIZE : Paul Gauguin, *Lettres à Daniel de Monfreid,* 1950.
Paul Gauguin, *Racontars de rapin,* 1951.
FONDATION CARLSBERG : Paul Gauguin, *Avant et après,* 1989.
FONDATION SINGER-POLIGNAC : Victor Merlhès, *Correspondance de Paul Gauguin 1873-1888,* 1985.
GALLIMARD : Alfred Jarry, *Œuvres complètes,* tome 1, 1972.
Charles Baudelaire, " L'œuvre et la vie d'Eugène Delacroix " in *Baudelaire critique d'art,* 1992.
Paul Gauguin, *Oviri. Écrits d'un sauvage,* 1974.
Stéphane Mallarmé, *Œuvres complètes,* collection La Pléïade, 1945.
Vincent Van Gogh, *Correspondance générale,* trad. de Maurice Beerblock et Louis Roedlandt, tome 3, 1960.
GRASSET : Maurice Malingue, *" Lettres à sa femme et à ses amis " de Paul Gauguin,* 1992.
HACHETTE : Henri Perruchot, *La vie de Gauguin,* 1961.
HERMANN : Maurice Denis, *Théories,* (présentation par O. Revault d'Allonnes), 1964.
HYPÉRION : John Rewald, *Gauguin,* 1938.
JOSÉ CORTI : Paul Gauguin, *Lettres à Odilon Redon,* 1960.
LAFFONT PAVILLONS : Henry James, *A little tour in France,* trad. P. Blanchard, 1987.
PAUVERT Jean-Jacques et PETIT Pierre : *Noa Noa,* texte établi et annoté par Pierre Petit, 1988.
PRESSES POCKET/AGORA : Bengt Danielsson, *Gauguin à Tahiti et aux Iles Marquises,* 1988.
RMN : *Gauguin, catalogue de l'exposition aux Galeries Nationales du Grand Palais,* 1989.
VALHERMEIL : Camille Pissarro, *Correspondance,* tome 3, 1986.

Parmi les autres ouvrages consultés

Arsène Alexandre, *Gauguin,* 1930.
Catalogue de peintures du Musée d'Orsay en deux volumes.

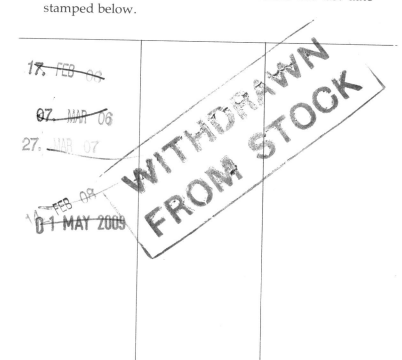